Briefe vom Weihnachtsmann

J.R.R. TOLKIEN

Briefe vom Weihnachtsmann

Herausgegeben von Baillie Tolkien

Aus dem Englischen übersetzt von Anja Hegemann und Hannes Riffel

KLETT-COTTA

Hobbit Presse
www.hobbitpresse.de
Die Originalausgabe erschien unter dem Titel
»Letters from Father Christmas«
im Verlag HarperCollins Publishers, London
Erstausgabe 1976 bei George Allen & Unwin

Revidierte Ausgabe 1999 bei HarperCollins Publishers

Aus dem Englischen übersetzt
von Anja Hegemann (die Textpassagen der Ausgabe von 1976)
und Hannes Riffel (die neuen Textpassagen der revidierten Ausgabe).
Das Gedicht, S. 90–95, wurde neu übersetzt
von Joachim Kalka.

Sämtliches illustrierte Material in diesem Buch
wurde mit freundlicher Genehmigung von
The Bodleian Library, University of Oxford reproduziert
und entnommen der Sammlung MS Tolkien Drawings
36-38 und 83; folios 1-65 und 89; und folio 18.

Satz des deutschen Textes:
VH-7 Medienküche, Stuttgart
Gedruckt und gebunden in Bosnien und Herzegowina
ISBN 978-3-608-98757-7

Vierte Auflage, 2023

Einleitung

Für die Kinder von J. R. R. Tolkien war der Weihnachtsmann nicht nur deshalb so besonders wichtig und aufregend, weil er ihnen Heiligabend immer die Strümpfe mit Gaben füllte – er schrieb ihnen auch jedes Jahr einen Brief. Darin erzählte er ihnen mit Worten und Bildern von seinem Haus und seinen Freunden und von all den lustigen oder aufregenden Dingen, die sich am Nordpol ereigneten. Der erste dieser Briefe kam 1920, als John, der Älteste, drei Jahre alt war, und dann folgten im Lauf von zwanzig Jahren, während der ganzen Kinderzeit auch der drei jüngeren Geschwister Michael, Christopher und Priscilla, weitere Briefe regelmäßig zu jedem Weihnachtsfest. Manchmal fand sich der schneebestäubte Umschlag, der die Marken der Nordpolpost trug, am Morgen, nachdem der Weihnachtsmann dagewesen war, irgendwo im Haus, manchmal brachte ihn auch der Postbote; und Briefe, die die Kinder selbst an ihn schrieben, verschwanden einfach vom Kamin, wenn gerade niemand im Zimmer war.

Mit der Zeit wurde der Haushalt des Weihnachtsmanns immer größer, und während anfangs von kaum jemand anderem die Rede ist als vom Nordpolarbären, tauchen später Schnee-Elben, Rote Wichtel, Schneemänner, Höhlenbären und auch die beiden Neffen des Polarbären auf, Paksu und Valkotukka, die eines Tages zu Besuch kamen und nie wieder weggingen. Aber der wichtigste Helfer des Weihnachtsmanns blieb doch der Polarbär – der freilich auch meist

daran schuld war, wenn durch irgendein Unheil die Weihnachtsvorräte durcheinandergerieten oder etwas davon fehlte. Hier und da hat er in den Briefen mit steifen Großbuchstaben seine Anmerkungen dazugeschrieben.

Schließlich nahm sich der Weihnachtsmann auch einen Sekretär, ein Elbchen namens Ilbereth, und in den späteren Briefen spielen Elbchen dann eine wichtige Rolle, wenn es darum geht, das Haus und die Vorratskeller gegen Angriffe der Kobolde zu verteidigen.

In diesem Buch können von der zittrigen Handschrift des Weihnachtsmanns nur wenige Proben gezeigt werden, aber die Bilder, die er geschickt hat, sind fast alle wiedergegeben, und auch das Kobold-Alphabet ist enthalten, das sich der Polarbär, als er sich einmal in die Höhlen der Kobolde verirrte, aus ihren Wandzeichnungen dort zusammengereimt hat; sowie der Brief, den er dann in diesem Alphabet schrieb und den Kindern schickte.

FROM FATHER CHRISTMAS
ME
FC
MY HOUSE
FC

Christmas House
North Pole
1920

Love to
Daddy, mummy
Michael & auntie
& Mary

Dear John

I heard you ask daddy what I was like & where I lived. I have drawn ME & My House for you. Take care of the picture. I am just off now for Oxford with my bundle of toys — some for you. Hope I shall arrive in time: the snow is very thick at the NORTH POLE tonight: Yr loving Fr. Chr.

1920

Weihnachtshaus
Nordpol
22. Dezember 1920

Lieber John,

Du hast Deinen Vater gefragt, was ich für einer bin und wo ich wohne. Also habe ich mich und mein Haus gemalt, extra für Dich. Pass auf die Bilder gut auf. Zur Zeit bin ich mit einem Sack voller Spielzeug nach Oxford unterwegs – und auch für Dich ist etwas dabei. Hoffentlich schaffe ich es rechtzeitig: Heute Nacht fällt am Nordpol dichter Schnee. Dein Dich liebender Weihnachtsmann

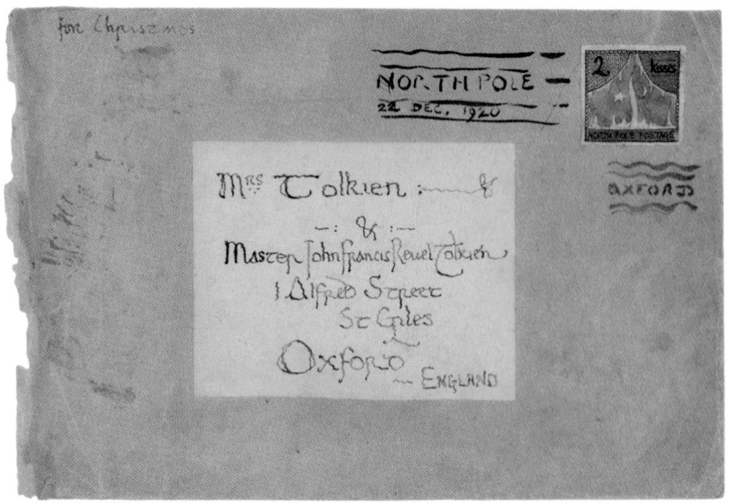

DEC. 23
1923
NORTH • POLE
POST
Master John Francis Tolkien
11. St Marks Terrace
Woodhouse Lane
Leeds

1923

Nordpol
Heiligabend 1923

Mein lieber John,

heute ist es sehr kalt, und meine Hand zittert stark – immerhin werde ich am Weihnachtstag tausendneunhundertundvierundzwanzig (nein! siebenundzwanzig!) Jahre alt – ein ganzes Stück älter als Dein Großvater. Kein Wunder kann ich die Schreibfeder nicht ruhig halten! Aber mir ist zu Ohren gekommen, dass Du inzwischen richtig gut lesen kannst, also wird es Dir nicht schwerfallen, meinen Brief zu entziffern.

Ich schicke Dir (und auch Michael) ganz herzliche Grüße und Bauklötze von Multistein (die heißen so, weil Du nächstes Jahr noch mehr davon bekommen kannst, wenn Du mir rechtzeitig Bescheid sagst). Ich finde sie hübsch, stabil und feiner als andere. Hoffentlich gefallen sie Dir.

Jetzt muss ich los; es ist eine wunderschöne, herrliche Nacht, und bis zum Morgen muss ich noch viele hundert Meilen zurücklegen – so viel gibt es zu tun.

Ein kalter Kuss von
Deinem Nikolaus Weihnachtsmann

Christmas Eve : 1923

North Pole

My dear John

It is very cold to day and
my hand is very shaky —
I am nineteen hundred and twenty
no! seven!
~~four~~ years old on Christmas day,
ever so older than your great-grandfather,
so I can't stop the pen wobbling,
but I hear that you are getting
so good at reading that I expect
you will be able to read my letter

I send you lots of love (and lots for
Michael too) and Lotts Bricks too
(which are called that because there
are lots more for you to have next year
if you let me know in good time) I
think they are prettier and stronger
and tidier than Picabrix so I hope
you will like them. Now I
must go: it is a lovely fine night
and I have got hundreds of miles
to go before morning — there is such
a lot to do & cold kiss from
Fr. Nicholas Christmas

Dec 23. 1924

Michael Hilary

with love

from

Father Christmas

I am

very busy this year: no time for letter. Lots of love. Hope the engine goes well. Take care of it. A big kiss

1924

Michael Hilary,

dieses Jahr habe ich viel zu tun und keine Zeit für einen Brief. Alles Liebe! Hoffe, die Lokomotive läuft gut. Pass gut auf sie auf. Ein dicker Kuss

mit lieben Grüßen
vom Weihnachtsmann.

23. Dezember 1924

Lieber John,

ich wünsche Dir ein frohes Weihnachtsfest. Ich habe nur Zeit für einen kurzen Brief, mein Schlitten wartet. Es gibt viele neue Strümpfe zu füllen in diesem Jahr. Hoffentlich gefällt Dir der Bahnhof und alles andere. Ein dicker Kuss

mit lieben Grüßen
vom Weihnachtsmann

Dec 23. 1921

John Francis

with love
from
Father Christmas

Dear John Hope you have a happy Christmas. Only time for a short letter, my sleigh is waiting. Lots of new stockings to fill this year. Hope you will like station & things. A big kiss

Xᵗmas 1925

Cliff House
Top of the World
Near the North Pole

Xᵗmas 1925

My dear boys, I am dreadfully busy this year — it makes my hand more shaky than ever when I think of it — and not very rich. In fact awful things have been happening, and some of the presents have got spoilt and I haven't got the North Polar bear to help me, and I have had to move house just before Christmas, so you can imagine what a state everything is in, and you will see why I have a new address and why I can only write one letter between you both. It all happened like this: one very windy day last November my hood blew off and went and stuck on the top of the North Pole. I told him not to, but the N.P. Bear climbed up to the thin top to get it down — and he did. The pole broke in the middle, and fell on the roof of my house, and the N.P. Bear fell through the hole it made into the dining room with my hood over his nose and all the snow fell off the roof into the house and melted and put out all the fires and ran down into the cellars where I was collecting this year's presents, and the N.P. Bear's leg got broken. He is well again now, but I was so cross with him that he says he won't try to help me again. I expect his temper is hurt, and will be mended by next Christmas. I send you a picture of the accident, and of my new house on the cliffs above the N.P. (with beautiful cellars in the cliffs). If John can't read my old shaky writing (1925 years old) he must get his father to. When is Michael going to learn to read, and write his own letters to me? Lots of love to you both and Christopher, whose name is rather like mine.

That's all: Good Bye

Father Christmas

1925

Klippenhaus
Ende der Welt
Beim Nordpol
Weihnachten 1925

Meine lieben Buben,

ich habe in diesem Jahr furchtbar viel zu tun – wenn ich daran denke, zittert mir die Hand noch ärger als sonst –, und sehr reich bin ich auch nicht gerade. Es haben sich nämlich schreckliche Dinge ereignet, und von den

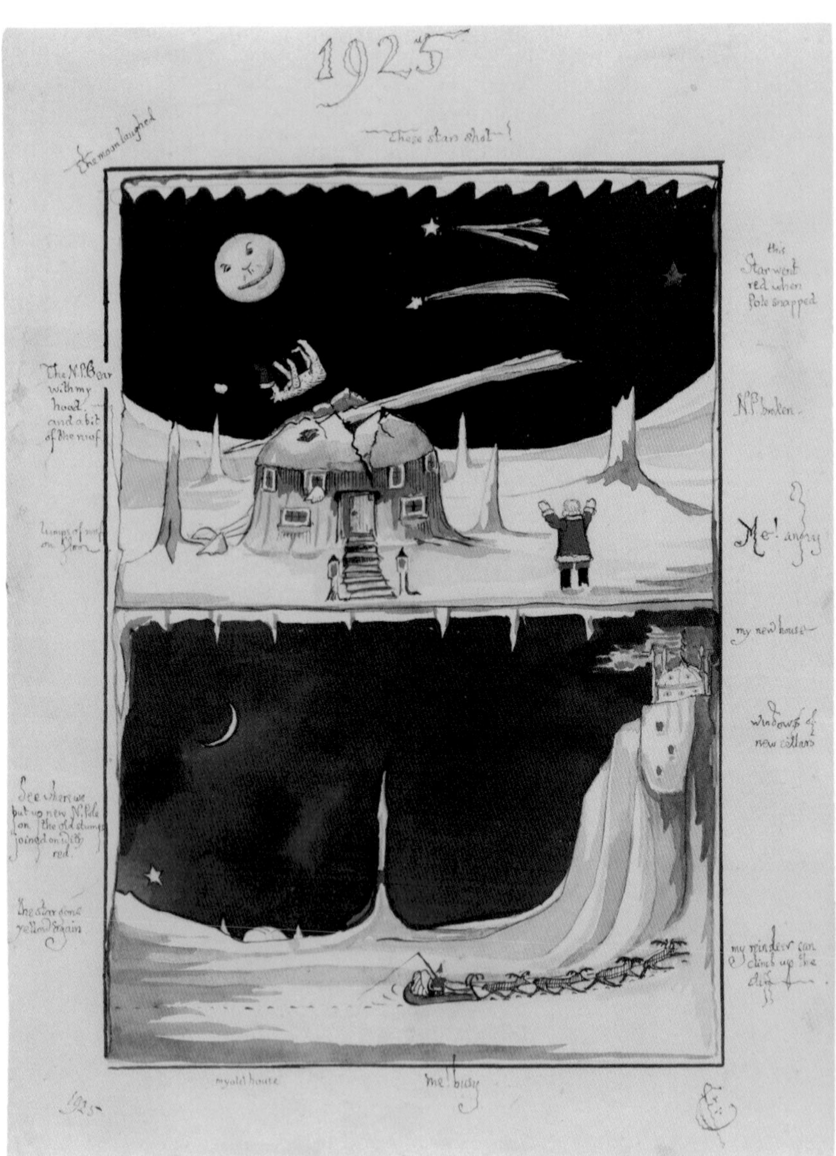

1925
The moon laughed
These stars shot!
this Star went red when Pole snapped
The N.P. Bear with my hood, and a bit of the roof
N.P. broken
Lumps of roof on floor
Me! angry
my new house
windows of new cellars
See where we put up new N.Pole on the old stump joined on with red.
The star gone yellow again
my reindeer can climb up the cliff
my old house
Me! busy
1925

Geschenken sind einige ganz verdorben, und ich habe den Nordpolarbären nicht dazu gekriegt, dass er mir half, und genau vor Weihnachten musste ich auch noch umziehen. Ihr könnt Euch also vorstellen, wie es hier aussieht, und nun wisst Ihr auch, warum ich eine neue Adresse habe und Euch beiden nur einen Brief schreibe.

Das alles kam so: An einem sehr windigen Tag im November wurde mir meine Zipfelmütze vom Kopf geblasen; sie flog davon und blieb an der Spitze des Nordpols hängen.

Obwohl ich ihm sagte, er solle es bleibenlassen, kletterte der Nordpolarbär bis zur dünnen Spitze hinauf, um die Mütze zu holen – und das hat er auch geschafft. Aber die Nordpolspitze ist mitten entzweigebrochen und auf das Dach meines Hauses gefallen, und durch das Loch plumpste der Nordpolarbär ins Esszimmer, mit meiner Zipfelmütze auf der Nase, und der ganze Schnee rutschte vom Dach ins Haus hinein und ist geschmolzen und hat sämtliche Feuer ausgelöscht und lief auch in die Keller hinunter, wo ich die Geschenke für dieses Jahr gerichtet hatte, und der Nordpolarbär hat sich ein Bein gebrochen.

Das ist jetzt wieder heil, aber ich habe ihn so ausgeschimpft, dass er sagt, er will mir nie wieder helfen. Ich glaube, er ist ernstlich beleidigt, aber bis zum nächsten Weihnachtsfest gibt sich das wieder.

Ich schicke Euch hier ein Bild von dem Unglück und von meinem neuen Haus, das hoch auf den Klippen über dem Nordpol steht (es hat herrliche, tiefe Felsenkeller). Wenn John mein zittriges altes Gekritzel nicht lesen kann (immerhin bin ich eintausendneunhundertundfünfund-

me

P.S.

FR Christmas was in great hurry — told me to put in one of his magic wishing crackers. As you pull, wish, & see if it doesnt come true.

Excuse thick writing I have a fat paw. I help Fr C. with his packing: I live with him. I am the

GREAT (Polar) BEAR

zwanzig Jahre alt!), soll er seinen Vater darum bitten. Wann wird Michael denn lesen lernen und mir auch mal einen Brief schreiben? Alles Liebe Euch beiden und Christopher, der einen richtigen Christfestnamen hat.

So viel für diesmal. Lebt wohl
Euer Weihnachtsmann

P.S.

Der Weihnachtsmann hatte es sehr eilig – er hat mich gebeten, eines seiner magischen Weihnachtsknallbonbons einzupacken. Zieht daran und wünscht Euch was, dann geht es in Erfüllung. Entschuldigt die dicke Schrift, ich habe riesige Pranken. Ich helfe dem Weihnachtsmann beim Einpacken: Ich wohne bei ihm. Ich bin der

GROSSE (Polar)BÄR

1926

Klippenhaus
Ende der Welt
Beim Nordpol
Montag, den 20. Dezember 1926

Meine lieben Buben,

in diesem Jahr bin ich noch zittriger als sonst. Schuld ist der Nordpolarbär! Das war der lauteste Knall, den die Welt gehört hat, und das riesigste Feuerwerk, das es überhaupt je gab. Der Nordpol ist davon richtig SCHWARZ geworden, und alle Sterne wurden durcheinandergeschüttelt. Der Mond ist in vier Stücke zerbrochen, und der Mann-im-Mond ist in meinen Küchengarten gefallen. Er hat erst mal eine ganze Portion von meiner Weihnachtsschokolade aufgegessen, bis ihm angeblich nicht mehr schlecht war; dann ist er zurückgeklettert, um den Mond wieder zusammenzusetzen und die Sterne aufzuräumen.

Danach stellte ich fest, dass die Rentiere sich losgemacht hatten. Sie rannten überall in der Gegend herum, rissen Zügel und Seile auseinander und schleuderten die Geschenke durch die Luft. Sie waren ja schon zum Aufbruch bepackt, müsst Ihr wissen – ja, erst heute Morgen ist das alles passiert; es war ein ganzer Schlitten voll Schokoladensachen, die ich immer frühzeitig nach England schicke. Hoffentlich haben Eure Sachen nicht zu sehr gelitten.

Christmas 1926

Cliff House
Top of the World
Near the North Pole

Monday Dec. 1926 (20th)

My dear boys,

I am more shaky than usual this year. The North Polar Bear's fault! It was the biggest bang in the world, & the most monstrous firework there ever has been. It turned the North Pole BLACK & shook all the stars out of place, broke the moon into four — and the Man in it fell into my back garden. He ate quite a lot of my Xmas chocolates before he said he felt better & climbed back to mend it and get the stars tidy. Then I found out that the reindeer had broken loose. They were running all over the country, breaking reins and ropes & tossing presents up in the air. They were all packed up to start, you see, — yes it only happened this morning; it was a sleighload of chocolate things — which I always send to England early. I hope yours are not badly damaged. But isn't the N.P.B. silly? And he isn't a bit sorry! Of course he did it — you remember I had to move last year because of him? The tap for turning on the Rory Bory Aylis fireworks is still in the cellar of my old house. The N.P.B. knew he must never never touch it. I only let it off on special days like Christmas. He says he thought it was cut off since we moved — anyway he was nosing round the ruins this morning soon after breakfast (he hides things to eat there) and turned on all the Northern Lights for two years in one go. You have never heard or seen anything like it. I have tried to draw a picture of it; but I am too shaky to do it properly and you can't paint fizzing light can you?

I think the P.B. has spoilt the picture rather — of course he can't draw with those great fat paws — by going and putting a bit of his own in the middle about me chasing the reindeer and him laughing. He did laugh too. So did I when I saw him

rude. NPB I can — and write without shaking

PTO

trying to draw reindeer, and inking his nice white paws ——

FATHER X. had to hurry away and leave me to finish. He is old and gets worried when funny things happen. You would have laughed too! I think it is good of me laughing. It was a lovely firework.

The reindeer will run quick to England this year. They are still frightened! ——

I must go and help pack. I dont know what F.C would do without me. He always forgets what a lot of packing I do for him. ——

The Snow Man is addressing our envelopes this year. He is F.C's gardener — but we dont get much but snowdrops and frost-ferns to grow here. He always writes in white, just with his finger. ——

A merry Christmas to you from . NPB .

And love from Father Christmas to you all.

FC

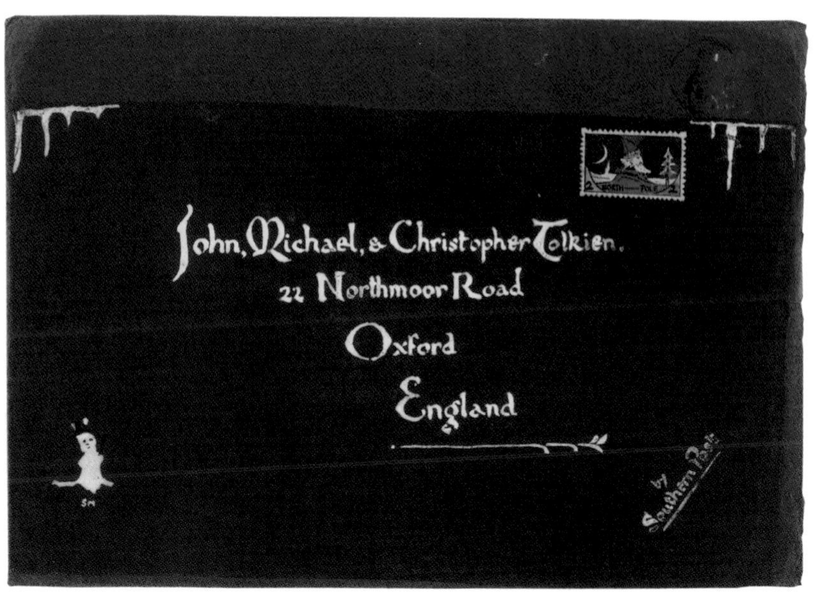

Aber der Nordpolarbär ist doch wirklich ein Dummkopf, findet Ihr nicht? Und es tut ihm kein bisschen leid! Natürlich ist er es gewesen, wer sonst? Erinnert Ihr Euch, dass ich voriges Jahr seinetwegen habe umziehen müssen? Im Keller meines alten Hauses befindet sich aber noch der Drehgriff, mit dem man das Boreasleuchten anstellen kann. Der Nordpolarbär wusste genau, dass er ihn nie und nimmer anrühren darf. Ich drehe ihn auch nur an ganz besonderen Festtagen auf, wie zum Beispiel Weihnachten. Polarbär behauptet, er habe gedacht, der Hahn sei außer Betrieb, seit wir umgezogen sind.

Jedenfalls, heute kurz nach dem Frühstück hat er bei der Ruine herumgeschnüffelt (er versteckt dort immer etwas zu essen) und sämtliche Nordlichter für zwei Jahre auf einmal angedreht. Sowas habt Ihr in Eurem ganzen Leben

noch nicht gesehen oder gehört. Ich habe versucht, es zu malen, aber es gelingt mir nicht recht, ich bin noch zu aufgeregt; und Lichter, die in einem fort aufleuchten und verpuffen, kann man ja auch nicht gut malen, nicht wahr? Ich finde, der Polarbär hat das Bild ziemlich vermasselt – natürlich kann er mit diesen dicken fetten Pranken nicht malen.

Unverschämtheit! Ich kann malen – und zittere beim Schreiben auch nicht.

Musste er mich auch unbedingt zeichnen, wie ich den Rentieren hinterherlaufe und er immerzu lacht. Und wie er gelacht hat! Das konnte ich mir auch nicht verkneifen, als ich seine Malversuche gesehen habe, dabei hat er sich die schönen weißen Pranken mit Tusche bekleckst.

Der Weihnachtsmann musste schnell los, ich soll den Brief zu Ende schreiben. Er ist alt und gerät in helle Aufregung, wenn etwas Komisches passiert. Ihr hättet auch gelacht! Ich finde, dass ich jeden Grund dazu hatte. Es war ein tolles Feuerwerk. Dieses Jahr werden die Rentiere pfeilschnell nach England traben. Solche Angst haben sie noch!

Ich muss los, beim Packen helfen. Was würde der Weihnachtsmann bloß ohne mich machen! Er vergisst immer, wie viel ich ihm helfe.

Dieses Jahr schreibt der Schneemann die Adressen auf die Umschläge. Das ist der Gärtner des Weihnachtsmanns – allerdings wächst hier nicht viel außer Schneeglöckchen und Frostfarn. Der Schneemann schreibt mit weißer Schrift, nur mit dem Finger.

Fröhliche Weihnachten vom Nordpolarbär

Und Euch allen alles Liebe von Eurem Weihnachtsmann

NPB
1926

My dear people: John, Michael, Christopher, also Aslaug, also Mummy, also Auntie Jennie — also Daddy, there seem to get more & more of you every year, & I get older & poorer: still I hope that I have managed to bring you all something you wanted, though not everything you asked for (Michael & Christopher! I haven't heard from John this year, I suppose he is growing too big and won't even hang up his stocking soon). It has been so bitter at the NP lately that the NPB (you know who I mean?) has spent most of the time asleep and has been less use than usual this Xmas. The Pole became colder than any cold thing ever has been, & when the NPB put his nose against it it took the skin off: that is why it is bandaged with red flannel in the picture (but the bandage has slipped). Why did he? I don't know, but he is always putting his nose where it oughtn't to be — into my cupboards for instance.

Also it has been very dark here since winter began. We haven't seen the Sun, of course, for three months, but there were no Northern Lights this year — you remember the awful accident last year? There will be none again until the end of 1928. The NPB has got his cousin (and distant friend) the GREAT BEAR to shine extra bright for us, and this week I have hired a comet to do my packing by, but it doesn't work as well — you can see that by my picture. The North Polar Bear has not really been any more sensible this year: yesterday he was snowballing the Snow Man in the garden & pushed him over the edge of the cliff so that he fell into my sleigh at the bottom & broke lots of things — one of them was himself. I used some of what was left of him to paint my white picture. We shall have to make ourselves a new gardener when we are less busy.

The Man in the Moon paid me a visit the other day — a fortnight ago exactly December 7th — he often does about this time as he gets lonely in the Moon, and we make him a nice little Plum Pudding (he is so fond of things with plums in!). His fingers were cold as usual, & the NPB made him play "snapdragons" to warm them. Of course he burnt them, & then he licked them, and then he liked the brandy, and then the Bear gave him lots more, and he went fast asleep on the sofa. Then I went down into the cellars to make crackers, and he rolled off the sofa, and the wicked bear pushed him underneath & forgot all about him! He can never be away a whole night from the moon; but he was this time. Suddenly the Snow Man (he wasn't broken then) rushed in out of the garden next day just after teatime, and said the moon was going out! The dragons had come out & were making an awful smoke and smother. We rolled him out and shook him & he simply whizzed back, but it was ages before he got things quite cleared up.

1927

Klippenhaus
Ende der Welt
Beim Nordpol
Mittwoch, den 21. Dezember 1927

Ihr Lieben: Es scheint, dass Ihr jedes Jahr mehr werdet.

Ich werde ärmer und ärmer. Hoffentlich ist es mir trotzdem gelungen, Euch allen etwas zu bringen, das Euch gefällt, wenn auch nicht alles, was Ihr Euch gewünscht habt (Michael und Christopher! Von John habe ich dieses Jahr

nichts gehört. Wahrscheinlich ist er zu groß und hängt bald nicht einmal mehr seinen Strumpf auf.)

In letzter Zeit war es am Nordpol so bitter kalt, dass der Nordpolarbär die meiste Zeit mit Schlafen zugebracht hat, statt sich wie sonst bei den Weihnachtsvorbereitungen nützlich zu machen.

Im Winter schlafen hier alle fast die ganze Zeit – der Weihnachtsmann am meisten.

Die Nordpolspitze ist kälter geworden als alles, was überhaupt in der Welt kalt ist, und als der Nordpolarbär sie mit der Nase anstupste, hat es ihm richtig die Haut abgerissen; deshalb ist seine Nase auf dem Bild mit rotem Flanell verbunden. Wieso hat er das bloß gemacht? Ich weiß es nicht, aber er steckt ja immer seine Nase dorthin, wo sie nicht hingehört – zum Beispiel in meine Schränke.

Ich habe eben Hunger.

Hier ist es auch sehr dunkel, seit es Winter wurde. Die Sonne haben wir natürlich drei Monate lang nicht gesehen, aber diesmal gab es ja auch kein Nordlicht – Ihr erinnert Euch doch noch an das schreckliche Unglück im letzten Jahr? Bis Ende 1928 wird es kein Nordlicht mehr geben. Der Nordpolarbär hat seinen Vetter (und entfernten Freund), den Großen Bären, dazu bewegen können, dass er extra hell für uns scheint, und in dieser Woche habe ich mir einen Kometen gemietet, um Licht beim Packen zu haben. Aber so ganz das Richtige ist das nicht.

Der Nordpolarbär ist in diesem Jahr auch nicht vernünftiger geworden.

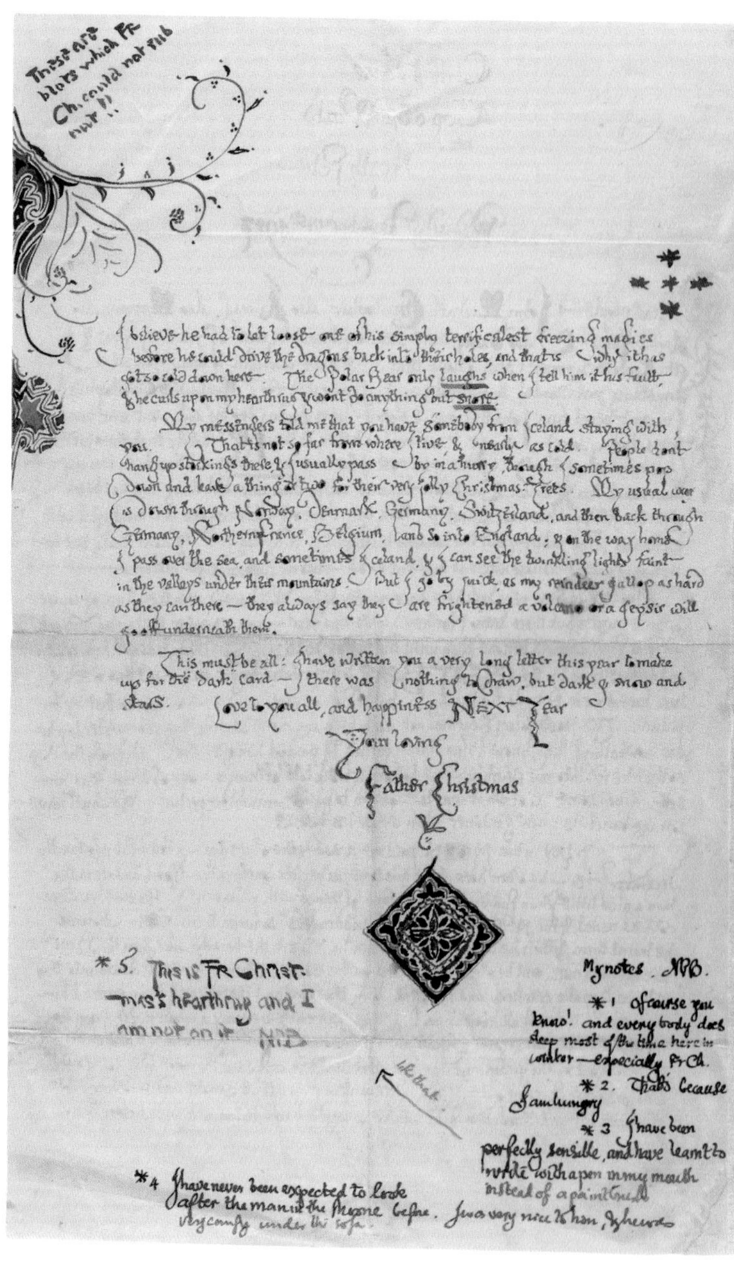

These are blots which Fr. Ch. could not rub out!!

I believe he had to let loose one of his simply terrificalest freezing magics before he could drive the dragons back into their holes, and that is why it has got so cold down here. The Polar Bear only laughs when I tell him it is his fault, & he curls up on my hearthrug & won't do anything but snore.

My messengers told me that you have somebody from Iceland staying with you. That is not so far from where I live, & nearly as cold. People don't hang up stockings there & I usually pass by in a hurry, though I sometimes pop down and leave a thing or two for their very jolly Christmas-Trees. My usual way is down through Norway, Denmark, Germany, Switzerland, and then back through Germany, Northern France, Belgium, and so into England; & on the way home I pass over the sea, and sometimes Iceland, & I can see the twinkling lights faint in the valleys under their mountains. But I go by quick, as my reindeer gallop as hard as they can there — they always say they are frightened a volcano or a geysir will go off underneath them.

This must be all: I have written you a very long letter this year to make up for the dark card — there was nothing to draw, but dark & snow and stars.

Love to you all, and happiness NEXT Year

Your loving

Father Christmas

*5. This is Fr Christmas's hearthrug and I am not on it NPB

like that

My notes. NPB.

*1 Of course you know! and every body does sleep most of the time here in winter — especially Fr Ch.

*2. That's because I am hungry

*3 I have been perfectly sensible, and have learnt to write with a pen in my mouth instead of a paintbrush

*4 I have never been expected to look after the man in the moone before. I was very nice to him, & he was very comfy under the sofa.

Ich bin ausgesprochen vernünftig – ich habe sogar gelernt, mit der Feder im Mund zu schreiben statt mit dem Pinsel.

Gestern hat er den Schneemann im Garten mit Schneebällen bombardiert und ihn über den Rand des Felsens geschubst, so dass er in meinen Schlitten hineinfiel, der unten stand; eine Menge Sachen sind dabei kaputtgegangen – der Schneemann auch. Was von ihm übrig war, habe ich zum Teil für mein weißes Bild verwendet. Wir werden einen neuen Gärtner bauen müssen, wenn weniger zu tun ist.

Neulich hat mir der Mann-im-Mond einen Besuch abgestattet – vor vierzehn Tagen, genaugenommen. Das macht er oft um diese Jahreszeit, wenn es ihm auf dem Mond zu einsam wird. Dann machen wir ihm einen feinen kleinen Plumpudding (davon kann er gar nicht genug bekommen!).

Wie immer hatte er kalte Finger, und da hat der Nordpolarbär »Löwenmaul« mit ihm gespielt, um sie zu wärmen. Natürlich hat er sich die Finger dabei verbrannt, und da hat er sie abgeleckt, und der Brandy hat ihm auch geschmeckt, und der Bär hat ihm dauernd nachgeschenkt, und schließlich ist er auf dem Sofa eingeschlafen. Dann bin ich in den Keller gegangen, um Knallbonbons zu machen, und er ist vom Sofa gerollt, und der böse Bär hat ihn unter das Sofa geschubst und ihn dann schlicht vergessen! Dabei darf er den Mond keine ganze Nacht allein lassen; aber dieses Mal ist es passiert.

Woher hätte ich wissen sollen, dass ich mich um den Mann-im-Mond kümmern soll? Ich war sehr nett zu ihm, und unter dem Sofa lag er ganz bequem.

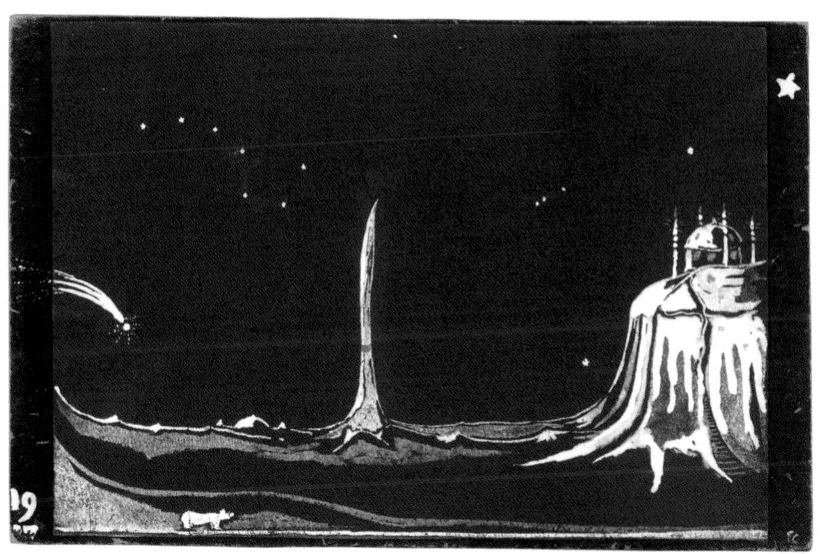

Am nächsten Tag nach dem Tee kam der Schneemann plötzlich aus dem Garten hereingestürzt (da war er noch nicht kaputt) und sagte, der Mond ginge aus! Die Drachen waren hervorgekommen und machten einen Heidenqualm! Da rollten wir ihn unter dem Sofa hervor und schüttelten ihn, und er sauste schnurstracks zurück, aber es dauerte eine Ewigkeit, bis er wieder alles in Ordnung gebracht hatte.

Ich glaube, er musste sogar einen seiner unheimlich frostigen Zaubersprüche einsetzen, um die Drachen in ihre Höhlen zurückzujagen, deshalb ist es hier unten auch so kalt.

Wenn ich dem Polarbär sage, dass alles seine Schuld ist, lacht er nur. Dann rollt er sich auf meinem Kaminvorleger zusammen, schnarcht und ist für sonst nichts mehr zu gebrauchen.

Meine Boten haben mir erzählt, dass Ihr Besuch aus Island bekommen habt. Das ist gar nicht so weit weg von hier und auch fast so kalt. Allerdings hängt in Island niemand Strümpfe auf, und für gewöhnlich fliege ich rasch daran vorbei, nur manchmal mache ich einen Abstecher und lege etwas unter die famosen Weihnachtsbäume der Isländer.

Normalerweise führt mich mein Weg über Norwegen, Dänemark, Deutschland, die Schweiz; und dann wieder zurück über Deutschland, Nordfrankreich, Belgien und nach England. Auf dem Rückweg überquere ich das Meer und manchmal Island, und dann kann ich die flimmernden Lichter in den Tälern unterhalb der Berge sehen. Aber dann bin ich auch schon weiter, meine Rentiere galoppieren so schnell wie möglich – sie sagen immer, sie hätten Angst, ein Vulkan oder ein Geysir könnte unter ihnen ausbrechen.

So weit, so gut: Dieses Jahr habe ich Euch einen ziemlich langen Brief geschrieben, weil es nichts gab, was ich hätte malen können außer der Finsternis, dem Schnee und den Sternen.

Euch allen alles Liebe und viel Glück im Neuen Jahr.

Euer Euch liebender Weihnachtsmann

1928

Ende der Welt
Nordpol
Donnerstag, den 20. Dezember 1928

Meine lieben Buben,

wieder ein Weihnachtsfest, und ich bin ein weiteres Jahr älter – und Ihr ebenso. Trotzdem geht es mir gut – wie nett, dass Michael gefragt hat –, und ich bin auch nicht so zittrig. Doch das liegt vor allem daran, dass wir nach dem kalten und finsteren Jahr 1927 endlich wieder Licht und Wärme haben – wisst Ihr noch?

"Top o' the World"
NORTH POLE
Thursday December 20th
1928

My DEAR BOYS

ANOTHER CHRISTMAS and I am another year older — and so are you. I feel quite well all the same — very nice of MICHAEL to ask — and not quite so shaky. But that is because we have got all the lighting and heat-ing right again after the cold dark year we had in 1927 — you remember about it? And I expect you remember whose fault it was? What do you think the poor dear old bear has been and done this time? Nothing as bad as letting off all the lights. Only fell from top to bottom of the main stairs on Thursday! We were beginning to get the first lot of parcels down out of the storerooms into the hall. P.B. would insist on taking an enormous pile on his head as well as lots in his arms. Bang Rumble Clatter Crash! awful moanings and growlings: I ran out on to the landing and saw he had fallen from top to bottom onto his nose leaving a trail of balls bundles parcels & things all the way down — and he had fallen on top of some and smashed them. I hope you got none of these by accident? I have drawn you a picture of it all. P.B. was rather grumpy at my drawing it: he says my Christmas pictures always make fun of him & that one year he will send one drawn by himself of me being idiotic (but of course I never am, and he can't draw well enough). He joggled my arm and spoilt the little picture at the bottom, of the moon

WHO'D LEFT THE SOAP ON THE STAIRS? NOT ME

OF COURSE NATURALY

YES I CAN I DREW FLAG AT END.

Und ich denke, Ihr wisst auch nur zu gut, wessen Schuld es war. Was, glaubt Ihr wohl, hat der arme liebe alte Bär diesmal angestellt? Nein, nein, er hat nicht wieder alle Lichter aufgedreht, so schlimm war es nicht. Er ist nur am Donnerstag von oben bis unten die ganze Treppe hinuntergefallen!

Wer hat denn die Seife auf der Treppe liegenlassen? Ich nicht!

Wir hatten gerade angefangen, die erste Ladung Pakete aus den Lagerräumen in die Halle zu schaffen. Polarbär packte sich, eigensinnig wie immer, einen riesigen Stapel auf den Kopf und lud sich auch noch die Arme voll. Peng, bums und krach! Fürchterliches Geschrei und Geheul!

Ich rannte auf den Treppenabsatz hinaus und sah, dass er ganz die Treppe hinunter und auf die Nase gefallen war, hinter ihm haufenweise Päckchen, Bündel, Kugeln und alle mögliche Dinge verstreut über die ganze Treppe – auf einige Sachen ist er draufgefallen und hat sie zerquetscht. Hoffentlich habt Ihr davon nicht aus Versehen etwas bekommen. Hier seht Ihr ein Bild von der ganzen Geschichte. Polarbär war ziemlich ungehalten darüber, dass ich es gemalt habe:

Klar, was sonst?

Er sagt, meine Weihnachtsbilder machten sich immer über ihn lustig, und eines Tages will er mal selber eins schicken, von ihm gemalt, auf dem dann ich der Dumme bin. (Aber das bin ich natürlich nie, und er kann auch gar nicht gut genug malen.)

Und ob. Ich habe die Fahne am Schluss gemalt.

Er hat mich am Arm geschüttelt, und deshalb ist das Bild weiter unten, auf dem der Mond lacht und Polarbär ihm mit der Faust droht, nichts geworden.

Als er sich wieder aufgerappelt hatte, rannte er aus dem Haus und wollte mir nicht aufräumen helfen, weil ich auf der Treppe saß und lachte. Ich hatte nämlich festgestellt, dass der Schaden halb so schlimm war – deshalb lächelte der Mond auch; aber das Stück mit dem wütenden Polarbär ist abgeschnitten, weil er es verschmiert hat.

Jedenfalls dachte ich mir, Ihr hättet zur Abwechslung sicher gern ein Bild davon, wie mein großes neues Haus von innen aussieht. Die Haupthalle befindet sich unter der ganz großen Kuppel, und dort stapeln wir immer die fertigen Päckchen, die dann vor den Türen auf die Schlitten geladen werden. Polarbär und ich haben das alles fast ganz allein gebaut und auch selber all die blauen und lila Fliesen gelegt. Das Dach und die Geländer sind nicht ganz gerade …

Nicht meine Schuld. Der Weihnachtsmann hat die Geländer angebracht.

… aber das macht eigentlich nichts. Die Wandbilder mit den Bäumen und Sternen und Sonnen und Monden darauf habe ich gemalt. Dann habe ich zu Polarbär gesagt: »Die Innenausstattung (I.N.N.E.N.A.U.S.S.T.A.T.T.U.N.G.) überlasse ich dir.«

»Eigentlich ist es doch schon kalt genug«, hat er geantwortet, »und deine Farben hier drin, das ganze Lila, Grau, Blau und Blaßgrün – wenn das keine Inneneisstattung (I.N.N.E.N.E.I.S.S.T.A.T.T.U.N.G.) ist.«

1928 A MERRY CHRISTMAS FROM FATHER CHRISTMAS
1928

laughing and PB shaking his fist at it. When he had picked himself up he ran out of doors & would'nt help clear up be[cause I sat on the stairs and laughed as soon as I found there was not much damage done — that is why the moon smiled: as you can see, but the part showing PB angry was cut off because he smudged it.

But anyway I thought you would like a picture of the INSIDE of my new big house for a change. This is the chief hall under the largest dome, where we pile the presents usually ready to load on the sleighs at the doors. PB & I built it nearly all ourselves, and laid all the blue and mauve tiles The banisters and roof are not quite straight, but it does'nt really matter. I painted the pictures on the walls of the trees and stars and suns and moons. Then I said to PB "I shall leave the freeze to you." He said 'I should have thought there was enough freeze outside — and your colours inside, all purply-greyey-bluey-palegreeny are cold enough too' I said "don't be a silly bear: do your best, there's a good old polar" — and look at the result!! Icicles all round the hall to make a freeze (he can't spell very well), and fearful bright colour to make a warm freeze!!

NOT MY FAULT F.C. DID BANISTERS

ROT

Well my dears I hope you will like the things I am bringing: nearly all you asked for and lots of other little things you didn't, & which I thought of at the last minute. I hope you will share the railway things and farm and animals often, and not think they are absolutely only for the one whose stocking they were in. Take care of them, for they are some of my very best things. Love to Chris: love to Michael: love to John who must be getting very big as he does'nt write to me any more (so I simply had to guess paints — I hope they were all right: PB chose them; he says he knows what John likes because J. likes bears)

Your loving

FATHER CHRISTMAS

AND MY LOVE PB

»Sei kein alberner Bär«, erwiderte ich. »Gib dir einfach etwas Mühe, tu mir den Gefallen« – und was kam dabei heraus?? Eiszapfen überall, wegen der Inneneisstattung (I.N.N.E.N.E.I.S.S.T.A.T.T.U.N.G. – in Rechtschreibung ist er nicht besonders gut), und fürchterlich warme Farben, damit die Inneneisstattung nicht so kalt wirkt!!!

Nun, meine Lieben – ich hoffe, Euch gefallen die Sachen, die ich Euch bringe: fast alles, was Ihr Euch gewünscht habt, und eine Menge andere Dinge, an die Ihr nicht gedacht habt und die mir im letzten Augenblick eingefallen sind. Ich hoffe doch, dass Ihr mit der Eisenbahn und dem Bauernhof und den Tieren alle gemeinsam spielt und nicht etwa denkt, sie gehörten nur dem, in dessen Strumpf sie steckten. Gebt auf sie acht, denn ich habe mir große Mühe mit ihnen gegeben.

Ich grüße Euch alle ganz herzlich – Chris und Michael und John, der schon ziemlich groß sein muss, denn er schreibt mir nicht mehr (also musste ich bei dem Farbkasten raten – ich hoffe, es ist der richtige: Polarbär hat ihn ausgesucht; er behauptet, er wüsste, was John gefällt, weil John Bären mag).

Euer Euch liebender Weihnachtsmann

**Und alles Liebe von mir,
Polarbär**

Boxing Day
1928

I am frightfully sorry — I gave this to the P B to post and he forgot all about it! We found it on the hall table to day.
But you must forgive him: he has worked very hard for me & is dreadfully tired. We have had a busy Christmas. Very windy here: It blew several sleighs over before they could start —

Love again
F.C.

Zweiter Weihnachtsfeiertag 1928

Das tut mir entsetzlich leid – ich habe den Brief dem Polarbären gegeben, damit er ihn aufgibt, aber er hat es vergessen! Wir haben ihn erst heute auf dem Tisch in der Haupthalle gefunden.

Aber Ihr müsst ihm verzeihen: Er hat mir wirklich viel geholfen und ist schrecklich müde. An Weihnachten war eine Menge los. Hier ist es ziemlich stürmisch. Einige Schlitten hat es umgeweht, bevor sie losfliegen konnten.

Nochmals alles Liebe – Euer Weihnachtsmann

1929

November 1929

Liebe Buben,

meiner Tatze geht es besser. Ich habe sie mir verletzt, als ich Bäume gefällt habe. Findet Ihr nicht auch, dass ich viel besser schreibe? Der Weihnachtsmann hatt schon eine Menge zu tun. Ich auch. Es hat starck geschneit, und einige unsrer Boten sind eingeschneit worten, andere haben sich verirrd. Deshalb habt Ihr in ledzder Zeit auch nix von uns gehört.

Alles Gute zum Geburtstag, John. Der Weihnachtsmann sagt, meine Rechtschreibung sei nicht so doll. Davür kann ich nichts. Wir sprechen hier kein Englisch, nur Arktisch (was Ihr nicht kent. Auch unsere Buchstaben sehen anders aus – Euch zuliebe schreibe ich extra mit arktischen Buchstaben. Wir verwenden immer ein ↑ statt einem T und ein V für ein U. Das ist ein arktischer Satz, der heißt: »Lebt wohl, auf Wiedersehen, hoffentlich bald.« – Mára mesta an ni véla tye ento, ya rato nea.

P. B.

Eigentlich heiße ich Karhu, aber das verrate ich nur ganz wenigen.

P. S. Ich mag Briefe, und Cristofers Briefe mag ich ganz besonders.

PS I LIKE LETTERS AND THINK CRISTOFERS AR NICE

NOV 1929

DEAR BOYS

MY PAW IS BETTER I WAS CUTTING CHRISTMAS TREES WEN I HURT IT. DON'T YOU THINK MY WRITING IS MUCH BETTER TOO? FATHER X IS VERY BISY ALREADY. SO AM I WE HAVE HAD HEVY SNOW AND SUM OF OUR MESSENGERS GOT BUERRIED AND SUM LOST: THAT IS WHI YOU HAVE NOT HERD LATELY. LOVE TO JOHN FOR HIS BIRTHDAY FATHER X. SAYS MI ENGLISH SPELLING IS NOT GOOD. I KANT HELP IT. WE DONT SPEAK ENGLISH HERE, ONLY ARKTIK (WHICH YOU DONT KNOW. WE ALSO MAKE OUR LETTERS DIFFERENT ~ I HAVE MADE MINE LIKE ARKTIK LETTERS FOR YOU TO SEE. WE ALWAYS RITE ↑ FOR T AND V FOR U. THIS IS SUM ARKTIK LANGWIDGE WICH MEANS "GOOD BY TILL I SEE YOU NEXT AND I HOPE IT WILL BEE SOON." ~ MÁRA MESTA AN NI VÉLA TYE ENTO, YA RATO NEA

P. B.

MY REAL NAME IS KARHU BUT I DON'T TELL MOST PEEPLE.

MI PAW 

Dear Boys & Girl

It is a light Christmas again, I am glad to say — the Northern Lights have been specially good.

There is a lot to tell you. You have heard that the Great Polar Bear chopped his paw, when he was cutting Christmas Trees. His right one — I mean not his left, of course. It was wrong to cut it — a pity too for he spent a lot of the Summer learning to write better so as to help me with my winter letters.

We had a Bonfire this year (to please the PB) to celebrate the coming in of winter. The Snow-elves let off all the rockets together, which surprised us both. I have tried to draw you a picture of it, but really there were hundreds of rockets. You can't see the elves at all against the snow background. The Bonfire made a hole in the ice & woke up the Great Seal, who happened to be underneath. The PB let off 20,000 silver —

Ende der Welt
Nordpol
Weihnachten 1929

Liebe Buben und liebes Mädchen,

dies ist wieder ein helles Weihnachtsfest, Gott sei Dank – das Nordlicht war sogar besonders schön. Es gibt viel zu erzählen. Ihr habt ja gehört, dass der Große Polarbär sich in die Pfote gehackt hat, als er Weihnachtsbäume fällte. In

die rechte – nicht in die linke, will ich damit sagen. Natürlich hätte er das nicht tun sollen, und es ist auch jammerschade, denn er hat den ganzen Sommer lang Schreiben geübt, damit er mir bei den Winterbriefen helfen kann.

Wir haben (dem Polarbären zuliebe) in diesem Jahr auch ein großes Feuer angezündet, um die Ankunft des Winters zu feiern. Die Schnee-Elben haben alle Raketen gleichzeitig steigen lassen, was uns beide überrascht hat. Ich habe versucht, es für Euch zu malen; aber in Wirklichkeit waren es Hunderte von Raketen. Die Elben könnt Ihr vor dem Schneehintergrund gar nicht sehen.

Das Feuerwerk hat ein Loch ins Eis gemacht und den Großen Seehund aufgeweckt, der zufällig genau drunterlag. Später hat der Polarbär 20 000 silberne Wunderkerzen abbrennen lassen – meinen ganzen Vorrat hat er aufgebraucht! Jetzt wisst Ihr, warum ich Euch keine mehr habe bringen können. Dann ist er in den Urlaub (!!!) gefahren, nach Nord-Norwegen, und hat dort einem Holzfäller namens Olaf geholfen, und zurückgekommen ist er dann mit dickverbundener Pfote, kurz bevor wir immer so viel zu tun haben.

Es scheint in den Ländern, um die ich mich besonders kümmere – England, Norwegen, Dänemark, Schweden und Deutschland (und natürlich Nordamerika und Kanada) –, mehr Kinder zu geben denn je, und dann muss ich auch noch Sachen zum Südpol runterbringen, für die Kinder, die auch erwarten, dass ich nach ihnen sehe, obwohl sie nach Neuseeland oder Australien oder Südafrika oder China gezogen sind.

sparklers afterwards — used up all my stock, so that is why I had none to send you. Then he went for a holiday!!! — to North Norway & stayed with a wood-cutter called Olaf & came back with his paw all bandaged just at the beginning of our busy times. There seem more children than ever in England, Norway, Denmark, Sweden, & Germany which are the countries I specially look after (& of course North America & Canada) — not to speak of getting stuff down to the South Pole for children who expect to be looked after though they have gone to live in New Zealand or Australia or South Africa or China. It is a good thing clocks don't tell the same time all over the world or I should never get round, although when my magic is strongest — at Xmas — I can do about a thousand stockings a minute, if I have it all planned out beforehand. You could hardly guess the enormous piles of lists I make out. I seldom get them mixed. But I am rather worried this year. You can guess from my pictures what happened. The first one shows you my office & packing-room, and the P.B. reading out names while I copy them down. We had awful gales here, worse than you did, tearing clouds of snow to a million tatters, screaming like demons, burying my house almost up to the roofs.

1929

Nur gut, dass die Uhren nicht überall auf der Welt dieselbe Zeit anzeigen, sonst würde ich überhaupt nie mehr fertig, obwohl ich, wenn meine Zauberkraft am stärksten ist – zur Weihnachtszeit –, rund tausend Strümpfe in der Minute schaffen kann, vorausgesetzt, ich habe alles gut vorbereitet. Ihr könnt Euch gar nicht vorstellen, was für riesige Stapel von Wunschzetteln ich entziffere. Sie geraten mir nur ganz selten durcheinander.

Aber dieses Jahr bin ich doch ziemlich unter Druck. In meinem Schreib- und Packzimmer liest mir der Polarbär die Namen vor, und ich schreibe sie auf. Wir hatten schreckliche Stürme hier, viel schlimmere als bei Euch, die brüllten wie die Teufel und rissen die Schneewolken in Millionen von Fetzen, und mein Haus wurde bis fast unter die Dachtraufe zugeweht. Und gerade als es am allerschlimmsten war, erklärte der Polarbär, wir hätten schlechte Luft im Zimmer, und bevor ich ihn daran hindern kann, reißt er an der Nordseite das Fenster auf. Ihr könnt Euch denken, was passiert ist – der Nordpolarbär wurde unter Papieren und Wunschzetteln förmlich begraben; aber er hat bloß gelacht.

Außerdem ist meine rote und grüne Tinte umgefallen, und die schwarze auch, deshalb schreibe ich mit Kreide und Bleistift. Etwas schwarze Tinte habe ich noch, und mit der schreibt der Polarbär die Adressen auf die Päckchen.

Eure Briefe haben mir alle gefallen – sehr sogar, meine Lieben. Niemand, oder fast niemand, schreibt mir so oft oder so nett. Besonders gefreut hat mich Christophers Karte und seine Briefe, und weil er jetzt schreiben lernt, schicke ich ihm einen Füllfederhalter und ein Bild nur

für ihn. Darauf bin ich zu sehen, wie ich das Meer auf dem oberen Nordwind überquere, während unter mir ein Südweststurm – den die Rentiere nicht ausstehen können – das Wasser aufwühlt.

Genug für heute. Ich wünsche Euch alles Liebe! Nur noch einen Strumpf muss ich dieses Jahr füllen! Ich hoffe, Euer neues Haus gefällt Euch und auch die anderen Sachen, die ich Euch bringe.

Euer alter Weihnachtsmann

Just at the worst the P.B said it was stuffy, & opened a north window before I could stop him. Look at the result — only actually the N.P.B was buried in papers & lists; but that did not stop him laughing. Also all my red & green ink was upset, as well as black — so I am writing in chalks & pencil. I have some black ink left (but I know you like colours,) & the P.B is using it to address parcels.

I liked all your letters — very much indeed my dears. Nobody, or very few, write so much or so nicely to me. I am specially pleased with Xtopher's card, and his letters, and with his learning to write, so I am sending him a FOUNTAIN PEN & also a special picture for himself. It shows me crossing the sea on the upper NORTH wind, while a SOUTH WEST gale — reindeer hate it — is raising big waves below.

This must be all now. I send you all my love. One more stocking to fill this year! I hope you will like your new house & the things I bring you.

Your Old
F. X'mas

Nov 28th 1930.

Fr Christmas has got all your letters! What a lot, especially from C & M! Thank you, and also Reddy and your bears, & other animals.

I am just beginning to get awfully busy. Let me know more about what you specially want: also (if you can find out) what anyone else like D or Mummy or Auntie (I mean Miss) Grove wants. P.B. sends love. He is just getting better. He has had whooping cough!! F.N.C.

J & M & C Tolkien

By messenger

1930

28. November 1930

Der Weihnachtsmann hat alle Eure Briefe bekommen! Das waren wirklich ganz schön viele, besonders von Christopher und Michael! Vielen Dank, auch an Reddy und Eure Bären und die anderen Tiere.

Langsam bekomme ich hier schrecklich viel zu tun. Lasst Ihr mich wissen, was Ihr Euch wünscht?

Polarbär lässt Euch herzlich grüßen. Allmählich geht es ihm wieder besser. Er hatte Keuchhusten!!

Euer Nikolaus Weihnachtsmann

Ende der Welt
Nordpol
Weihnachten 1930
Erst am Heiligabend, dem 24. Dezember,
zu Ende geschrieben

Meine Lieben,

ich habe mich sehr über all Eure Briefe gefreut. Es tut mir schrecklich leid, dass ich nicht die Zeit gefunden habe, sie zu beantworten, und selbst jetzt fehlt mir die Zeit, die Bilder für Euch in Ruhe fertigzumalen oder Euch einen langen Brief zu schreiben, und das würde ich wirklich gerne.

Hoffentlich machen Euch Eure Strümpfe dieses Jahr Freude. Ich habe versucht, das aufzutreiben, was Ihr Euch gewünscht habt. Allerdings waren die Lager in ziemlichem Durcheinander – Ihr müsst nämlich wissen: Der Polarbär war lange krank. Zuerst hatte er Keuchhusten. Da konnte ich ihn beim Sortieren und Packen, das ja schon im November beginnt, nicht mithelfen lassen, denn es wäre doch schrecklich, wenn sich eines von meinen Kindern mit dem Polarkeuchhusten anstecken und dann am Zweiten Weihnachtstag wie ein Bär bellen würde. Also musste ich alles selber vorbereiten.

Natürlich hat Polarbär getan, was er konnte – während ich mit Packen beschäftigt war, hat er saubergemacht und meinen Schlitten repariert und die Rentiere versorgt. Und dabei passierte dann das wirklich Schlimme: Anfang dieses Monats hatten wir einen furchtbaren Schneesturm (über anderthalb Meter Schnee fiel da), dem ein übler Nebel

Top of the World
N.P.
Christmas 1930

December 23rd !! Not finished until Christmas Eve. 24th

My dears,

I have enjoyed all your letters. I am dreadfully sorry there has been no time to answer them. Even now I have not time to finish my picture for you properly or to send you a full long letter like I meant to.

I hope you will like your stockings this year: I tried to find what you asked for, but the stores have been in rather a muddle — you see the Polar Bear has been ill. He had whooping-cough first of all. I could not let him help with the packing & sorting which begins in November — because it would be simply awful if any of my children caught Polar Whooping Cough & barked like bears on Boxing-day. So I had to do everything myself in the preparations. Of course P.B. has done his best — he cleaned up & mended my sleigh and looked after the reindeer while I was busy. That is how the really bad accident happened. Early this month we had a most awful snowstorm (nearly six feet of snow) followed by an awful fog. The poor P.B. went out to the Reindeer-stables, & got lost and nearly buried: I did not miss him or go to look for him for a long while. His chest had not got well from Wh. Cough so this made him frightfully ill, & he was in bed until three days ago. Everything has got wrong, & there has been no one to look after my messengers properly.

Aren't you glad the P.B. is better? We had a party of Snow-boys (sons of the Snowmen, which are the only sort of people that live near — not of course men made of snow, though my gardener who is the oldest of all the snowmen sometimes draws a picture of a made snow man instead of writing his name) and polar-cubs (the P.B.'s nephews) on Saturday as soon as he felt well enough. He didn't eat much tea, but when the big cracker went off after he threw away his mug, and leaped in the air and has been well ever since.

1930
Party of Snowboys & Polar-cubs to celebrate P.B's recovery.
P.B recovers!

folgte. Der arme Polarbär ging hinaus zu den Rentierställen, und dabei hat er sich verlaufen und wurde im Schnee fast begraben. Ich habe ihn eine ganze Zeit lang gar nicht vermisst und darum auch nicht nachgeschaut, wo er blieb. Er hatte sich vom Keuchhusten noch nicht ganz erholt, deshalb wurde er schrecklich krank und musste noch bis vor drei Tagen im Bett liegen. Alles ist drunter und drüber gegangen, und meine Posttiere konnte auch niemand mehr richtig versorgen.

Seid Ihr nicht froh, dass es dem Polarbären jetzt wieder besser geht? Am Samstag, als er sich wieder einigermaßen wohlfühlte, haben wir die jungen Polarbärchen und Schneebuben zu einer Party eingeladen – das sind Polarbärs Neffen und die Söhne der Schneemänner, die einzigen Leute, die hier in der Nähe leben; die Schneeleute sind natürlich nicht aus Schnee gemacht – obwohl mein Gärtner, der von ihnen allen der älteste ist, manchmal einen Schneemann hinmalt, statt seinen Namen zu schreiben.

Gegessen hat der Polarbär zum Tee nicht viel, aber als später das große Knallbonbon platzte, hat er seine Decke weggeworfen und einen Luftsprung gemacht, und seitdem ist er kerngesund.

Ich habe Euch von allem, was passiert ist, Bilder gemalt – von Polarbär, wie er, nachdem der Tisch abgeräumt war, eine Geschichte erzählt, wie ich Polarbär im Schnee entdecke und wie Polarbär mit den Füßen in heißem Senfwasser dasitzt, damit der Schüttelfrost aufhört. Aber der hörte nicht auf, und Polarbär musste so schrecklich niesen, dass er dabei fünf Kerzen ausblies.

The top picture shows P.B telling a story after all the things had been cleared away. The little pictures show me finding P.B. in the snow, & P.B sitting with his feet in hot mustard & water to stop him shivering. It didn't – & he sneezed so terribly he blew five candles out. Still he's all right now – I know because he has been at his tricks again quarrelling with the Snowman (my gardener) & pushing him through the roof of his snow house; & packing lumps of ice instead of presents in naughty children's parcels. That might be a good idea, only he never told me & some of them (with ice) were put in warm storerooms & melted all over good children's presents!

Well my dears there is lots more I should like to say – about my green brother and my father old Grandfather Yule, and why we were both called Nicholas after the Saint (whose day is December sixth) who used to give secret presents, sometimes throwing purses of money through the window. But I must hurry away – I am late already & I am afraid you may not get this in time.

Kisses to you all

Fr. N. Christmas.

P.S.

(Chris. has no need to be frightened of me)

Trotz allem, jetzt geht es ihm wieder gut – ich weiß das, weil er schon wieder seine Streiche macht: Er streitet mit dem Schneemann (meinem Gärtner) und schubst ihn durch das Dach seines Schneehauses, oder er packt Eisklumpen statt Geschenke in die Päckchen für die Kinder, die nicht artig gewesen sind. Das ist vielleicht eine ganz gute Idee, bloß sagt er es mir nie, und manche Päckchen (mit Eis drin) wurden in warmen Lagerräumen verstaut und sind da geschmolzen, und alles ist in die Geschenke für die braven Kinder hineingelaufen!

So, meine Lieben. Es gäbe noch eine Menge zu erzählen – von meinem Grünen Bruder und von meinem Vater, dem alten Großpapa Jul, und warum wir beide Nikolaus heißen, nach jenem Heiligen (man feiert ihn am 6. Dezember), der immer heimlich Geschenke verteilte und dabei manchmal Geldbörsen durchs Fenster geworfen hat. Aber ich muss schnell los, ich bin schon spät dran und in Sorge, dass Ihr diese Zeilen vielleicht gar nicht mehr pünktlich bekommt.

Küsse für Euch alle,

Euer Nikolaus Weihnachtsmann

P. S. (Chris hat keinen Grund, sich vor mir zu fürchten.)

Dear Children,

Already I have got some letters from you! You are getting busy early. I have not begun to think about Christmas yet. It has been very warm in the North this year, & there has been very little snow so far. We are just getting in our Xtmas fire-wood.

This is just to say my messengers will be coming round regularly now

1931

Klippenhaus
31. Oktober 1931

Liebe Kinder,

schon jetzt habe ich Briefe von Euch bekommen – Ihr seid ganz schön früh dran! Ich habe noch nicht einmal angefangen, mir Gedanken über Weihnachten zu machen. Dieses Jahr war es im Norden sehr warm, und bisher ist kaum Schnee gefallen. Wir sammeln gerade Brennholz für Weihnachten.

Ich wollte Euch nur schreiben, dass meine Boten jetzt, da der Winter angebrochen ist, regelmäßig bei Euch vorbeikommen – morgen werden wir ein großes Feuer anzünden –, und ich würde mich freuen, von Euch zu hören: Sonntag- und Mittwochabend ist die beste Zeit, um Briefe an mich aufzugeben.

Dem Polarbären geht es gut, und er benimmt sich sogar einigermaßen – obwohl man nie weiß, was er noch anstellt, wenn der Weihnachtsbetrieb erstmal angefangen hat. Grüßt John ganz herzlich von mir.

Alles Liebe von
Eurem Nikolaus Weihnachtsmann

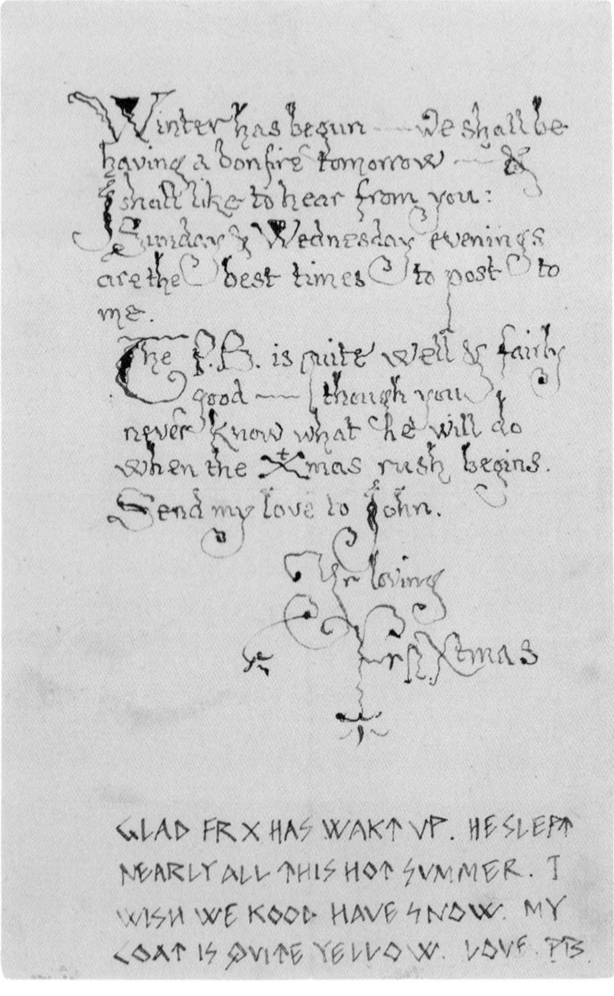

Winter has begun — we shall be having a bonfire tomorrow — & shall like to hear from you: Sunday & Wednesday evenings are the best times to post to me.

The P.B. is quite well & fairly good — though you never know what he will do when the Xmas rush begins.

Send my love to John.

Yr loving Fr Xmas

Entlich ist der Weihnachtsmann aufgewacht! Er hat fast den ganzen heißen Sommer hinturch geschlafen. Wenn wir nur Schnee gehapt hätten! Mein Pelz ist ganz gelb.

Alles Liebe – Polarbär

Klippenhaus
Nordpol
23. Dezember 1931

Meine lieben Kinder,

hoffentlich gefallen Euch die Sachen, die ich Euch gebracht habe. Anscheinend interessiert Ihr Euch gerade sehr für Eisenbahnen, also bringe ich Euch hauptsächlich Sachen dafür. Ich grüße Euch so herzlich wie immer, eigentlich sogar noch herzlicher. Der alte Polarbär und

ich haben uns sehr über die vielen Briefe von Euch und Euren Tieren gefreut. Glaubt bloß nicht, dass wir sie nicht lesen! Solltet Ihr feststellen, dass nicht alle Sachen gekommen sind, die Ihr Euch gewünscht hattet, und vielleicht überhaupt nicht ganz so viele wie früher, so denkt daran, dass es in dieser Weihnachtszeit auf der ganzen Welt schrecklich viele Menschen gibt, die arm sind und Hunger leiden.

17

Cliff House
North Pole
December 23rd 1931

My dear Children,

I hope you will like the little things I have sent you. You seem to be most interested in Railways just now, so I am sending you mostly things of that sort. I send as much love as ever, in fact more. We have both, the old P.B. and I, enjoyed having so many nice letters from you and your pets. If you think we have not read them you are wrong; but if you find that not many of the things you asked for have come, & not perhaps quite as many as sometimes, remember that this Christmas all over the world there are a terrible number of poor & starving people. I (& also my Green Brother) have had to do some collecting of food & clothes, and toys too, for the children whose fathers & mothers and friends cannot give them anything, sometimes not even dinner. I know yours won't forget you. So, my dears, I hope you will be happy this Xmas & not quarrel, & will have some good games with your Railway all together. Don't forget old Father Christmas, when you light your tree*

NOR ME. N. P.B!

It has gone on being warm up here as I told you — not what you would call warm, but warm for the N. Pole, with very little snow. The N.P.B., if you know who I mean**, has been lazy & sleepy as a result, & very slow over packing, or any job except eating — he has enjoyed sampling and tasting the food parcels this year (to see if they were fresh & good, he said†). But that is not the worst — I should hardly feel it was Christmas if he didn't do something ridiculous. You will never guess what he did this time! I sent him down into one of my cellars — the Cracker-hole we call it — where I keep thousands of boxes of crackers (you would like to see them, rows upon rows, all with their lids off to show the kinds & colours) — well, I wanted 20 boxes, & was busy sorting soldiers & farm things,

SILLY

† SOMEBODY HAZ TO — AND I FOUND STONES IN SOME OF THE KURRANTS

So I sent him; and he was so lazy he took two Snow-boys (who aren't
allowed down there) to help him. They started pulling crackers out of
boxes, and he tried to box them (the boys' ears I mean), and they dodged
and he fell over, & let his candle fall right poof! into my fire-work crackers & boxes of sparklers. I could hear the noise, & smell the smell in
the hall; & when I rushed down I saw nothing but smoke and fizzing
stars, & old P.B. was rolling over on the floor with sparks sizzling in
his coat: he has quite a bare patch burnt on his back*. The
Snow-boys roared with laughter & then ran away. They said it was
a splendid sight, but they won't come to my party on St Stephen's
Day; they have had more than their share already.

THAT'S WHERE F.C. SPILLED THE GRAVY ON MY BACK AT DINNER!

IT LOOKED FINE

Two of the P.B.'s nephews have been staying here for some
time — Paksu and Valkotukka ("fat" and "white-hair" they say it
means). They are fat-tummied polar-cubs, & are very funny boxing
one another & rolling about. But another time I shall have them
on Boxing-day & not just at packing-time. I fell over them fourteen
times a day last week. And Valkotukka swallowed a ball of
red string, thinking it was cake, and he got it all wound up inside and had
a tangled cough — he couldn't sleep at night, but I thought it rather
served him right for putting holly in my bed. It was the same cub that poured all the black ink yesterday into the fire — to make night: it did, & a very
smelly smoky one. We lost Paksu all last Wednesday & found
him on Thursday morning asleep in a cupboard in the kitchen; he had
eaten two whole pudd-ings raw. They seem to be growing up just
like their uncle.

NOT FAIR!

Good bye now. I shall soon be off on my travels once more. You need
not believe any pictures you see of me in aeroplanes or motors.
I cannot drive one, & I don't want to; and they are too slow anyway
(not to mention smell), they cannot compare with my own reindeer, which
I train myself. They are all very well this year, & I expect my posts
will be in very good time. I have got some new young ones this Christmas from Lapland (a great place for wizards; but these are WHIZZERS).
One day I will send you a picture of my deer-stables and harness-houses.

BAD!

I am expecting that John, although he is now over 14, will hang up his stocking this last time; but I don't forget people even when they are past stocking-
age, not until they forget me. So I send LOVE to you ALL, & especially little P.M., who is beginning her stocking-days & I hope they will be
happy.

Your loving Father Christmas

Ich habe (wie mein Grüner Bruder) außer Spielsachen auch einiges an Nahrungsmitteln und Kleidung zusammenbringen müssen für all die Kinder, denen ihre Eltern gar nichts geben können, zuweilen nicht mal ein Abendbrot. Ich bin mir sicher, dass Ihr von Euren Eltern nicht vergessen werdet.

Also, meine Lieben, hoffentlich seid Ihr an Weihnachten fröhlich und streitet Euch nicht – spielt schön mit Eurer Eisenbahn, alle miteinander. Vergesst Euren alten Weihnachtsmann nicht, wenn Ihr die Kerzen am Weihnachtsbaum anzündet.

Und mich auch nicht!

Es ist nach wie vor warm hier oben – nicht das, was Ihr »warm« nennen würdet, aber eben warm für den Nordpol, mit nur sehr wenig Schnee. Deshalb ist der Polarbär (Ihr erinnert Euch doch an ihn?) schon die ganze Zeit faul und schläfrig, und beim Packen und bei überhaupt allem, was er tut, trödelt er herum, außer beim Essen. Er hat sich ein Vergnügen daraus gemacht, von den Päckchen mit Esssachen alle Sorten durchzuprobieren (um zu sehen, ob sie auch frisch sind, wie er gesagt hat).

Irgend jemand mus dass ja tun – und in ein paar Korinthen habe ich Kerne gefunden.

Aber das ist nicht das Schlimmste – ich würde ja kaum merken, dass Weihnachten ist, wenn er nicht wieder irgendeinen Unfug anstellte. Ihr werdet nie erraten, was er diesmal gemacht hat! Ich hatte ihn in einen meiner Kellerräume hinuntergeschickt – in die Knallkammer, wie wir es nennen –, wo ich Tausende von Schachteln mit Knallbonbons aufbewahre (Ihr müsstet sie mal sehen – Reihen über

Reihen, alle mit offenem Deckel, damit man die Farben erkennt).

Kurzum, ich brauchte zwanzig Schachteln, und ich hatte gerade mit dem Sortieren von Soldaten und Einzelteilen für Bauernhöfe zu tun, also schickte ich ihn; aber er war so faul, dass er sich zwei Schneebuben (die dort unten gar keinen Zutritt haben) zum Helfen mitnahm. Die fingen sofort an, Knallbonbons aus den Schachteln zu reißen, und er wollte sie deswegen ohrfeigen (die Schneebuben, meine ich), aber sie duckten sich, und er stolperte und ließ seine Kerze fallen – puff! – mitten in meine Feuerwerkskörper und die Schachteln mit den Wunderkerzen hinein.

Den Krach habe ich oben deutlich gehört und auch den Brandgeruch in der Halle gerochen, und als ich hinuntersauste, sah ich nichts als Qualm und verpuffende Sterne, und mein alter Polarbär rollte am Boden herum mit zischenden Funken im Pelz; er hat eine ganz kahlgebrannte Stelle am Rücken.

Da war gar nichts! Aber später hat der Weihnachtsmann mir beim Abendessen Soße auf den Rücken gekippt!

Die Schneebuben brüllten vor Lachen und rannten davon. Es sei ein herrlicher Anblick gewesen, haben sie später gesagt, aber zu meinem Fest am Stephanstag werden sie nicht kommen; sie haben schon mehr, als ihnen zusteht.

Seit einiger Zeit sind zwei Neffen des Polarbären hier zu Besuch, Paksu und Valkotukka (die Namen bedeuten »Fett« und »Weißhaar«, wie sie mir sagten). Es sind junge Polarbärchen, mit dicken Wänsten, sehr lustige Burschen; sie knuffen einander dauernd und kugeln am Boden herum. Aber nächstes Mal möchte ich sie doch lieber erst am Zweiten Weihnachtstag hierhaben und nicht ausgerech-

1931 – 32
N.P.B
KARHU

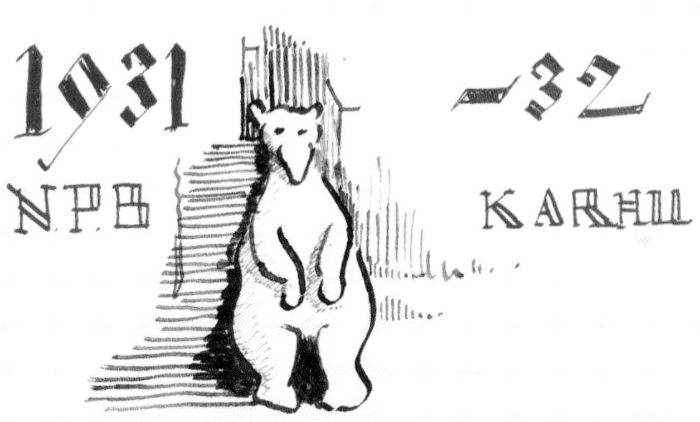

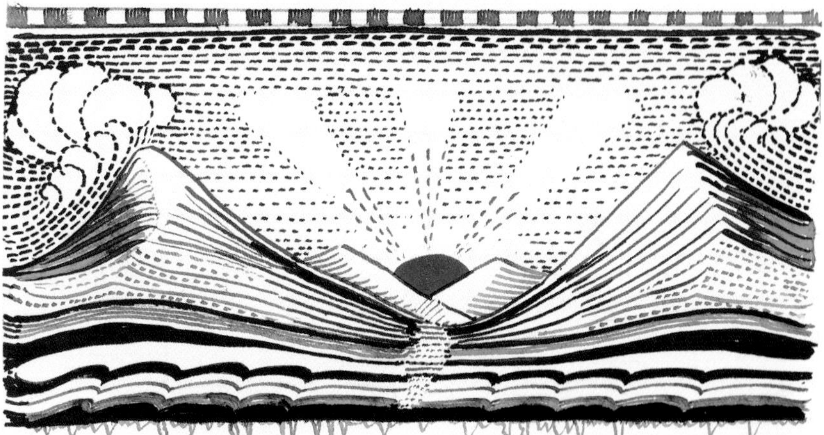
LOVE FROM KARHU, PAKSU, AND VALKOTUKKA.
V

This is all drawn by N.P.B. Don't you think he's getting better. But the green ink is mine — & he didn't ask for it.

Me making pastry
P.B. very busy helping
Rough sketch of cracker accident I had no time to do proper picture

net in der Zeit, wenn ich packen muss. Letzte Woche bin ich an einem Tag vierzehnmal über sie gestolpert.

Valkotukka hat ein Knäuel rote Kordel verschluckt, weil er es für Kuchen gehalten hat. Es hat sich in seinem Bauch abgerollt, und er bekam einen richtigen Stickhusten und konnte nachts nicht schlafen – aber ich muss sagen, das geschah ihm ganz recht, weil er mir Stechpalmenzweige ins Bett getan hatte.

Dieser kleine Bär war es übrigens auch, der gestern die ganze schwarze Tinte ins Feuer geschüttet hat – er wollte, dass es Nacht wird; nun, das wurde es auch, und zwar eine Nacht voller Qualm und Gestank. Paksu war letzten Mittwoch den ganzen Tag über verschwunden, und am Donnerstagmorgen fanden wir ihn fest schlafend im Küchenschrank; er hatte zwei ganze Fleischpasteten verputzt, roh. Die beiden werden einmal genau wie ihr Onkel.

Das ist nicht fair!

Lebt wohl jetzt. Bald werde ich mich wieder auf den Weg machen. Irgendwelchen Bildern, auf denen Ihr mich am Steuer eines Flugzeugs oder Automobils seht, dürft Ihr nicht glauben. Ich kann diese Dinger nicht lenken, und mir liegt auch gar nichts daran, sie sind ohnehin viel zu langsam (vom Gestank ganz zu schweigen) – kein Vergleich mit meinen Rentieren, die ich selbst ausbilde. Dieses Jahr sind sie alle sehr gut in Form, und meine Postsendungen werden sicher ganz pünktlich eintreffen. Für Weihnachten habe ich ein paar Jungtiere aus Lappland dazubekommen (der ideale Ort für Zauberer; und die Rentiere sind zauberschnell).

Au weia!

Irgendwann schicke ich Euch ein Bild von meinem Rentierstall und meinem Zaumzeugschuppen. Ich gehe davon aus, dass John seinen Strumpf ein letztes Mal aufhängt, obwohl er schon vierzehn ist. Aber ich vergesse niemanden, auch wenn er schon zu alt für Strümpfe ist, außer er vergisst mich. Grüßt ALLE HERZLICH von mir, ganz besonders die kleine PM, deren Strumpftage erst beginnen und hoffentlich alle glücklich werden.

Euer Euch liebender Weihnachtsmann

P.S. Das alles hat Nordpolarbär gemalt. Er macht Fortschritte, findet Ihr nicht? Aber die grüne Tinte gehört mir – er hat gar nicht gefragt, ob er sie nehmen darf.

1932

Klippenhaus
Nordpol
30. November 1932

Meine lieben Kinder,

vielen Dank für Eure schönen Briefe. Ich habe Euch nicht vergessen. Dieses Jahr bin ich sehr spät dran und mache mir große Sorgen – etwas sehr Merkwürdiges ist passiert.

Cliff House
North Pole.

November 30th
1932.

My dear Children,

Thank you for your nice letters. I have not forgotten you. I am very late this year, & very worried — a very funny thing has happened. The P.B. has disappeared, & I don't know where he is. I have not seen him since the beginning of this month, & I am getting anxious. Tomorrow December, the Christmas month, begins, & I don't know what I shall do without him.

I am glad you are all well, & your many pets. The snowbabies holidays begin tomorrow. I wish P.B. was here to look after them. Love to M. C. & P. Please send J. my love when you write to him.

Father N. Christmas.

Der Polarbär ist verschwunden, und ich weiß nicht, wo er steckt. Seit Anfang dieses Monats habe ich ihn schon nicht mehr gesehen, und langsam wird mir um ihn bang. Morgen ist schon Dezember, der Weihnachtsmonat, und ich weiß nicht, was ich ohne ihn machen soll.

Ich freue mich, dass es Euch und Euren Tieren gutgeht. Morgen beginnen die Ferien der Schneekinder. Wenn nur Polarbär hier wäre, um sich um sie zu kümmern! Liebe Grüße an Michael, Christopher und Priscilla. Bitte richtet John liebe Grüße von mir aus, wenn Ihr ihm schreibt.

Euer Weihnachtsmann

Cliff House
near the North Pole
December 23rd.
1932. (1)

My dear children,

There is a lot to tell you. First of all a Merry Christmas! But there have been lots of adventures you will want to hear about. It all began with the funny noises underground which started in the summer & got worse & worse. I was afraid an earthquake might happen. The N.P.B. says he suspected what was wrong from the beginning. I only wish he had said something to me; & anyway it can't be quite true, as he was fast asleep when it began, & did not wake up till about Michael's birthday. However, he went off for a walk one day, at the end of November I think, & never came back! About a fortnight ago I began to be really worried, for after all the dear old thing is really a lot of help, inspite of accidents, & very amusing. One Friday evening (Dec. 9th) there was a bumping at the front door, & a snuffling. I thought he had come back, & lost his key (as often before); but when I opened the door there was another very old bear there, a very fat & funny-shaped one. Actually it was the eldest of the few remaining cave-bears, old Mr Cave-Brown-Cave himself (I had not seen him for centuries).

'Do you want your North Polar Bear?' he said. 'If you do you had better come & get him!'

It turned out he was lost in the caves (belonging to Mr C.B.C or so he says) not far from the ruins of my old house. He says he found a hole in the side of a hill & went inside because it was snowing. He slipped down a long slope, & lots of rock fell after him, & he found he could not climb up or get out again. But almost at once he smelt goblin! & became interested, & started to explore. Not very wise; for of course goblins can't hurt him, but their caves are very dangerous. Naturally he he soon got quite lost, & the goblins shut off all their lights, & made queer noises & false echoes.

Goblins are to us very much what rats are to you, only worse because they are very clever, & only better because there are, in these parts, very few. We thought there were none left. Long ago we had great trouble with them, that was about 1453 I believe, but we got the help of the Gnomes, who are their greatest enemies, & cleared them out. Anyway there was poor old PB lost in the dark all among them, & all alone until he met Mr. CBC (who lives there). CBC can see pretty well in the dark, & he offered to take PB to his private back-door. So they set off together, but the goblins were very excited & angry (PB had boxed one or two flat that came and poked him in the dark, & had said

Klippenhaus
Beim Nordpol
23. Dezember 1932

Meine lieben Kinder,

es gibt viel zu erzählen. Aber erst einmal: Frohes Weihnachtsfest! Hier sind viele aufregende Dinge passiert, von denen Ihr sicher etwas erfahren möchtet. Angefangen hat alles mit den komischen unterirdischen Geräuschen, die im Sommer einsetzten und immer schlimmer wurden. Ich hatte schon Angst, es würde zu einem Erdbeben kommen. Der Nordpolarbär sagt, er habe von Anfang an einen Verdacht gehabt. Ich wünschte nur, er hätte mir davon erzählt; aber das kann sowieso nicht ganz stimmen, denn als es anfing, schlief er fest, und erst so um Michaels Geburtstag herum ist er aufgewacht.

Nun, eines Tages, es muss gegen Ende November gewesen sein, hat er sich zu einem Spaziergang aufgemacht und ist nicht mehr zurückgekommen! Vor ungefähr vierzehn Tagen begann ich mir dann ernstlich Sorgen zu machen, denn letzten Endes ist der gute alte Kerl wirklich eine große Hilfe, trotz all der Missgeschicke, und es ist ja auch sehr lustig mit ihm.

Eines Abends, es war Freitag, der 9. Dezember, rumste und schnüffelte etwas vorn an der Haustür. Ich dachte, er sei

wieder da und habe (wie schon so oft) seinen Schlüssel verloren, aber als ich die Tür aufmachte, stand draussen ein anderer, schon sehr alter Bär, dick und fett und irgendwie ganz krumm. Tatsächlich war es ein Höhlenbär, der älteste von den wenigen, die es noch gibt – Herr Höhlenbär höchstpersönlich, den ich schon seit Jahrhunderten nicht mehr gesehen hatte.

»Willst du deinen Nordpolarbären wiederhaben?«, fragte er. »Wenn ja, dann komm ihn mal lieber holen.« Es stellte sich heraus, dass Polarbär sich in den Höhlen unweit der Ruinen meines alten Hauses (die wohl dem Höhlenbären gehören – die Höhlen, nicht die Ruinen) verirrt hatte. Später erzählte er, er habe an einem Hang ein Loch entdeckt und sei, weil es schneite, hineingeschlüpft. Er rutschte einen langen Abhang hinunter, und eine Menge Felsbrocken fielen hinter ihm her, und er merkte, dass er nicht mehr hinaufklettern oder sonstwie hinausgelangen konnte.

Aber fast im selben Augenblick witterte er Koboldgeruch! Da wurde er neugierig und wollte die Sache näher erforschen. Nicht sehr klug von ihm, denn Kobolde können ihm zwar nichts anhaben, aber ihre Höhlen sind doch sehr gefährlich.

Natürlich hatte er sich bald ganz verlaufen, und die Kobolde löschten all ihre Lichter aus, machten unheimliche Geräusche und täuschten Echos vor.

Kobolde sind für uns so ungefähr das, was für Euch Ratten sind, nur schlimmer, weil sie sehr schlau sind, und auch wieder nicht so schlimm, weil es in dieser Gegend nur sehr wenige gibt. Wir dachten schon, es gäbe hier überhaupt keine mehr. Vor langer Zeit haben sie uns einmal arg zu

(2) 22

some very nasty things to them all); and they enticed him away by imitating CBC's voice, which of course they know very well. So P.B. got into a frightful dark part, all full of different passages, & he lost CBC & CBC lost him.

'Light is what we need' said CBC to me. So I got some of my special sparkling torches — which I sometimes use in my deepest cellars — & we set off that night. The caves are wonderful. I knew they were there, but not how many or how big they were. Of course the goblins went off into the deepest holes & corners, & we soon found P.B. He was getting quite long & thin with hunger, as he had been in the caves about a fortnight. He said 'I should soon have been able to squeeze through a goblin-crack'.

P.B. himself was astonished when I brought light; for the most remarkable thing is that the walls of these caves are all covered with pictures, cut into the rock or painted on in red and brown and black. Some of them are very good (mostly of animals), & some are queer & some bad; & there are many strange marks, signs & scribbles, some of which have a nasty look, & I am sure have something to do with black magic. CBC says these caves belong to him, & have belonged to him or his family since the days of his great-great-great-great-great-great-great-great-great (multiplied by ten) grandfather; and the bears first had the idea of decorating the walls, & used to scratch pictures on them in soft parts — it was useful for sharpening the claws. Then MEN came along — imagine it! CBC says there were lots about at one time, long ago when the North Pole was somewhere else. (That was long before my time, & I have never heard old Grandfather Yule mention it, even, so I don't know if he is talking nonsense or not). Many of the pictures were done by these cave-men — the best ones, especially the big ones (almost life-size) of animals, some of which have since disappeared: there are dragons and quite a lot of mammoths. Men also put some of the black marks & pictures there; but the goblins have scribbled all over the place. They can't draw well & any way they like nasty queer shapes best. N.P.B. got quite excited when he saw all these things.

PB jogged my arm & smudged

He said: 'These cave-people could draw better than you, daddy Noel; and wouldn't your young friends just like to see some really good pictures (especially some properly drawn bears) for a change!'

Rather rude, I thought; if only a joke; as I take a lot of trouble over my Christmas pictures: some of them take quite a minute to do; & though I only send them to special friends, I have a good many in different places. So just to show him (& to please you) I have copied a whole page from the wall of the chief central cave, & I send you a copy. It is not, perhaps, quite as well drawn as the originals (which are very very much larger) — except the goblin parts, which are easy. They are the only parts the PB can do at all. He says he likes them best, but that is only because he can copy them.

1932
A merry christmas
NC

schaffen gemacht – das war, glaube ich, so um 1453 herum –, aber die Wichtel, die ihre größten Feinde sind, haben uns damals geholfen, sie zu vertreiben.

Kurzum, jetzt war der arme alte Polarbär mitten in sie hineingeraten, hatte sich im Finstern verirrt und war mutterseelenallein – bis er auf Herrn Höhlenbär traf (der dort wohnt). Höhlenbär kann recht gut im Dunkeln sehen, und er schlug vor, Polarbär zu seinem Privatausgang zu führen.

Also gingen die beiden zusammen los, aber die Kobolde, wütend und aufgeregt, wie sie waren (Polarbär hatte nämlich ein paar von ihnen, die ihn im Dunkeln gestupst hatten, einfach umgehauen und allen einige Grobheiten ins Gesicht gesagt), brachten ihn vom Weg ab, indem sie Höhlenbärs Stimme nachahmten, die sie natürlich ganz genau kannten. Dadurch geriet Polarbär in einen stockfinsteren Teil der Höhle, wo vielerlei Gänge in verschiedene Richtungen führten, und er verlor Höhlenbär aus den Augen und der ihn.

»Was wir brauchen, ist Licht«, sagte Höhlenbär zu mir. Also holte ich einige meiner Spezial-Funkelfackeln, die ich manchmal in meinen allertiefsten Kellern benutze, und wir gingen noch am selben Abend los.

Die Höhlen sind eine Pracht. Ich wusste immer, dass es sie gibt, aber nicht, wie viele; und ich hatte keine Ahnung, wie groß sie sind. Die Kobolde verkrochen sich natürlich in die tiefsten Löcher und Winkel, und bald hatten wir Polarbär gefunden. Er war vor Hunger ganz lang und dünn geworden, denn er trieb sich ja schon fast vierzehn Tage da unten herum. Er sagte: »Bald hätte ich mich durch einen Koboldspalt zwängen können.«

Polarbär selbst staunte nicht schlecht, als ich Licht machte; denn das Besondere an diesen Höhlen ist, dass ihre Wände über und über mit Bildern bedeckt sind: entweder in den Stein geritzt oder mit Rot und Braun und Schwarz aufgemalt.

Einige davon sind sehr gut (hauptsächlich die Tierbilder), manche sind eigenartig und manche ganz einfach schlecht, und dazwischen findet man seltsame Zeichen, Symbole und Kritzeleien, von denen einige irgendwie abscheulich aussehen und, da bin ich mir sicher, etwas mit Schwarzer Magie zu tun haben.

Höhlenbär sagt, diese Höhlen gehörten ihm und hätten ihm – oder seiner Familie – schon seit den Tagen seines Ur-Ur-Ur-Ur-Ur-Ur-Ur-Ur-Ur(mal zehn)-Großvaters gehört, und die Bären hätten zuerst den Einfall gehabt, die Wände zu verzieren. Sie hätten schon immer an weichen Stellen Bilder in den Stein gekratzt – was auch gut zum Krallenwetzen war.

Dann kam der Mensch daher – stellt Euch das einmal vor! Höhlenbär sagt, zu einer bestimmten, weit zurückliegenden Zeit, als der Nordpol noch anderswo war, habe es sehr viele Menschen gegeben. (Das muss lange vor meiner Zeit gewesen sein, denn der alte Großvater Jul hat es nie auch nur erwähnt, so dass ich nicht weiß, ob Höhlenbär nicht vielleicht Unsinn redet.)

Viele der Bilder sollen von diesen Höhlenmenschen stammen, und zwar die schönsten, besonders die großen (fast lebensgroßen) Darstellungen von Tieren; einige sind mittlerweile ausgestorben: die Drachen zum Beispiel und die ganzen Mammuts. Von den Menschen stammen auch

At the bottom of the page you will see a whole row of goblin pictures — they must be very old, because the goblin fighters are sitting on drasils: a very queer sort of dwarf 'dachshund' horse creature, they used to use, but they have died out long ago. I believe the Red Gnomes finished them off, somewhere about Edward the Fourth's time. You will see some more on the pillar in my picture of the Caves. Doesn't the hairy rhinoceros look wicked; there is also a nasty look in the mammoths' eyes. You will also see an ox, a stag, a boar, & cave-bear (portrait of Mr. C.B.C.'s seventy-first ancestor, he says), and some other kind of polarish but not quite polar bear. NPB would like to believe it is a portrait of one of his ancestors! Just under the bears you can see what is the best a goblin can do at drawing reindeer!!!!

You have been so good in writing to me (& such beautiful letters too), that I have tried to draw you some specially nice pictures this year. At the top of my 'Christmas card' is a picture, imaginary, but more or less as it really is, of me arriving over Oxford. Your house is just about where the three little black points stick up out of the shadows at the right. I am coming from the north, you see — & note NOT with 12 pair of deer, as you will see in some books. I usually use 7 pair (14 is such a nice number), & at Christmas, especially if I am hurried, I add my 2 special white ones in front.

Next comes a picture of me and CBC & NPB. exploring the Caves — I will tell you more about that in a minute. The last picture is also imaginary, that is it hasn't happened yet. It soon will. On St. Stephen's Day, when all the rush is over, I am going to have a rowdy party: the CBC's grandchildren (they are exactly like live teddy-bears), snow-babies, some children of the Red Gnomes, & of course Polar cubs, including Paksu & Valkotukka, will be there. Don't you like my new green trousers? They were a present from my green brother, but I only wear them at home. Goblins anyway dislike green, so I found them useful. You see, when I rescued PB, we hadn't finished the adventures. At the beginning of this week we went into the cellars to get up the stuff for England.

I said to PB 'Somebody has been disarranging things here!'

'Paksu & V. I expect' he said. But it wasn't.

Next day things were much worse, especially among the railway-things, lots of which seemed to be missing. I ought to have guessed, & PB anyway ought to have mentioned his guess to me. Last Saturday we went down & found nearly every thing had disappeared out of the main cellar! Imagine my state of mind! Nothing hardly to send to anybody, & too little time to get or make enough new stuff. NPB said 'I smell goblin strong.' Of course it was obvious: — they love mechanical toys (though they quickly smash them, & want more & more & more); & practically all the Hornby things had gone! Eventually we found a large hole (but not big enough for us), leading to a tunnel behind

einige schwarze Zeichen und Bildsymbole, aber die Kobolde haben überall herumgekritzelt. Sie können nicht gut zeichnen, und ohnehin mögen sie eigenartige und garstige Formen am liebsten.

Nordpolarbär wurde ganz aufgeregt, als er das alles sah. Er sagte: »Weihnachtsmann, diese Höhlenmenschen konnten besser malen als du; deine jungen Freunde würden sicher gerne zur Abwechslung einmal tolle Bilder bekommen (vor allem richtig gut gezeichnete Bären)!«

Ziemlich unhöflich, fand ich, auch wenn er es scherzhaft meinte; schließlich gebe ich mir mit meinen Weihnachtsbildern große Mühe: an manchen sitze ich viele Minuten; und obwohl ich sie nur an spezielle Freunde schicke, sind es inzwischen ganz schön viele geworden, auf der ganzen Welt. Aber um es ihm zu zeigen (und Euch eine Freude zu machen), habe ich von der Wand der mittleren Haupthöhle eine ganze Seite abgezeichnet, und die schicke ich Euch.

Meine Bilder sind vielleicht nicht alle so gelungen wie die Originale (die sind ja auch viel, viel größer) – ausgenommen die, die von den Kobolden stammen, die sind leicht nachzumachen. Überhaupt sind das die einzigen, die der Polarbär hinbekommt. Er behauptet, sie gefielen ihm am besten, aber das liegt nur daran, dass er sie abmalen kann.

Die Koboldbilder müssen sehr alt sein, weil die Koboldkrieger auf Drasils sitzen: Das sind seltsam winzige, nur dackelgroße Pferdewesen, die sie zum Reiten benutzten und die längst ausgestorben sind. Ich glaube, die Roten Wichtel haben ihnen, so um die Zeit König Edwards des Vierten von England, den Garaus gemacht.

Die Tierzeichnungen sind wundervoll. Das behaarte Nilpferd sieht geradezu hinterlistig aus. Auch das Mammut hat etwas Boshaftes in den Augen. Außerdem seht Ihr noch einen Auerochsen, einen Hirsch, einen Braunbären, einen Höhlenbären (ein Bildnis des einundsiebzigsten Ahnherrn von unserem Höhlenbären, wie er sagt) und noch einen am Polarkreis heimischen Bären, der aber kein richtiger Polarbär ist. Nordpolarbär möchte gern glauben, dass es das Porträt von einem seiner Vorfahren sei! Und direkt unter den beiden Bären könnt Ihr sehen, was dabei herauskommt, wenn ein Kobold ein Rentier zu zeichnen versucht!!!

Ihr habt mir so nett geschrieben (und die Briefe waren wirklich schön), dass ich versucht habe, Euch dieses Jahr besonders hübsche Bilder zu malen. Oben auf meiner ›Weihnachtskarte‹ seht Ihr, wie ich gerade über den Wolken Oxford erreiche – natürlich nach der Vorstellung gemalt, aber es dürfte mehr oder weniger hinkommen. Euer Haus ist ziemlich genau dort, wo sich die drei kleinen schwarzen Punkte weiter rechts von den Schatten abheben. Ich komme aus dem Norden, und wie Ihr feststellen werdet, NICHT mit 12 Rentierpaaren, wie es in manchen Büchern heißt. Für gewöhnlich spanne ich 7 Paare vor (14 ist solch eine hübsche Zahl), und an Weihnachten – vor allem, wenn ich es eilig habe – führen meine 2 weißen Rentiere das Gespann.

Als nächstes kommt ein Bild von mir und Höhlenbär und Nordpolarbär, wie wir die Höhle erforschen – davon gleich mehr. Das letzte Bild ist noch nicht Wirklichkeit geworden. Am Stephanstag, wenn der ganze Betrieb vorbei ist, werde ich ein rauschendes Fest feiern: einladen möchte ich die

some packing-cases in the West Cellar. As you will expect we rushed off to find CBC, & we went back to the caves. We soon understood the queer noises. It was plain the goblins long ago had burrowed a tunnel from the caves to my old home (which was not so far from the end of their hills), & had stolen a good many things. We found some things more than a hundred years old, even a few parcels still addressed to your great-grand-people! But they had been very clever, & not too greedy, & I had not found out. Ever since I moved they must have been busy burrowing all the way to my Cliff, boring, banging & blasting (as quietly as they could). At last they had reached my new cellars, & the sight of the Hornby things was too much for them: they took all they could. I daresay they were also still angry with the P.B. Also they thought we couldn't get at them. But I sent my patent green luminous smoke down the tunnel, & P.B. blew & blew it with our enormous kitchen bellows. They simply shrieked & rushed out the other (cave) end. But there were Red Gnomes there. I had specially sent for them — a few of the real old families are still in Norway. They captured hundreds of goblins, & chased many more out into the snow (which they hate). We made them show us where they had hidden things, or bring them all back again & by Monday we had got practically everything back. The Gnomes are still dealing with the goblins, & promise there won't be one left by New Year — but I am not so sure: they will crop up again in a century or so, I expect. ④

We have had a rush; but dear old CBC & his sons & the Gnome-ladies helped; so that we are now very well forward & all packed. I hope there is not the faintest smell of goblin about any of your things. They have all been well aired. There are still a few railway things missing, but I hope you will have what you want. I am not able to carry quite as much toy-cargo as usual this year, as I am taking a good deal of food and clothes (useful stuff): there are far too many people in your land, & others, who are hungry & cold this winter. I am glad that with you the weather is warmish. It is not warm here. We have had tremendous icy winds & terrific snow-storms & my old house is quite buried. But I am feeling very well, better than ever, & though my hand wobbles with a pen, partly because I don't like writing as much as drawing (which I learned first), I don't think it's so wobbly this year.

The P.B. got your father's scribble to-day, & was very puzzled by it. He thought the written side was meant for him. I told him it looked like old lecture-notes, & he laughed. He says he thinks Oxford is quite a mad place if people lecture such stuff; "but I don't suppose anybody listens to it". The other side pleased him better. He said: "At any rate those boys' father tried to draw bears — though they aren't good. Of course it is all nonsense, but I will answer it".

So he made up an alphabet from the marks in the caves. He says it is much nicer than the ordinary letters, or than Runes, or Polar letters, and suits his paw better. He writes them with the tail of his pen-holder! He has sent a short letter to you in this alphabet — * — to wish you a

P.T.O.

Enkel des Höhlenbären (die genau wie lebende Teddybären aussehen), die Schneekinder, ein paar Kinder von den Roten Wichteln und natürlich die Eisbärenkinder – auch Paksu und Valkotukka.

Ich trage ein Paar neue grüne Hosen. Mein Grüner Bruder hat sie mir geschenkt, aber ich habe sie nur zu Hause an. Jedenfalls mögen Kobolde kein Grün, deshalb fand ich sie ganz nützlich.

Wisst Ihr, als ich Polarbär gerettet hatte, waren unsere Abenteuer noch nicht zu Ende. Anfang vergangener Woche gingen wir in die Kellerräume hinunter, um die Sachen für England nach oben zu bringen. Ich sagte zu Polarbär: »Hier hat doch jemand was umgeräumt.«

»Paksu und Valkotukka wahrscheinlich«, erwiderte er. Aber die waren es nicht gewesen. Am nächsten Tag war alles noch viel schlimmer, vor allem das Eisenbahnspielzeug war völlig durcheinander, und es fehlte auch einiges. Ich hätte es mir denken können, und Polarbär hätte mir wenigstens von seinen Vermutungen erzählen können.

Denn letzten Samstag gingen wir wieder hinunter, und da sahen wir, dass aus dem Hauptkeller so gut wie alles verschwunden war! Stellt Euch vor, wie mir zumute war! Fast alle Geschenke waren weg, und uns blieb nicht mehr genug Zeit, um neue Sachen anzufertigen oder herbeizuschaffen.

Nordpolarbär sagte: »Es riecht stark nach Kobold.« Natürlich, es war offensichtlich – Kobolde lieben mechanisches Spielzeug (auch wenn es ihnen immer gleich kaputtgeht, und dann wollen sie noch mehr); und fast alle Sachen von Märklin waren weg. Schließlich fanden wir im Westkeller

hinter einigen Packkisten ein großes Loch (aber nicht groß genug für uns), das in einen Tunnel hineinführte.

Wie Ihr Euch denken könnt, machten wir uns sofort auf die Suche nach Höhlenbär und stiegen also wieder in die Höhlen hinab. Bald wurde uns klar, was es mit den sonderbaren Geräuschen auf sich gehabt hatte. Offensichtlich hatten die Kobolde schon vor langer Zeit von den Höhlen bis zu meiner alten Wohnung (die nicht weit vom Rande ihrer Berge lag) einen unterirdischen Gang gegraben und eine ganze Menge Geschenke gestohlen.

Dabei fanden wir Sachen, die über hundert Jahre alt waren, und sogar ein paar Päckchen, die waren noch an Eure Urgroßeltern adressiert! Aber die Kobolde sind schlau gewesen und haben Maß gehalten, deshalb hatte ich nie etwas bemerkt.

Und seit meinem Umzug müssen sie immerfort gegraben haben, die ganze Strecke bis zu meinem Felsen haben sie sich mit Gerums und Gebums (so leise, wie es irgend ging) vorangewühlt. Schließlich haben sie dann meine neuen Keller erreicht, und der Anblick all der Spielsachen auf einmal ist wohl zuviel für sie gewesen; da nahmen sie alles mit, was sie nur greifen konnten.

Bestimmt hatten sie auch immer noch eine Wut auf den Polarbären. Und sie dachten ja auch, wir könnten sie nicht kriegen. Aber ich habe meinen grünen Patent-Leuchtrauch in den Tunnel geleitet, und Polarbär, mit unserem riesigen Küchenblasebalg, hat gepustet und gepustet. Die Kobolde haben bloß noch gebrüllt und sind am anderen Ende (der Höhle) hinausgefahren.

Aber dort lauerten schon die Roten Wichtel. Die hatte ich eigens hergebeten – in Norwegen leben ja noch ein paar von den ganz alten Wichtelfamilien. Sie haben Hunderte von Kobolden gefangen und viel mehr noch hinausgejagt in den Schnee (den die Kerle nicht ausstehen können). Sie mussten uns zeigen, wo sie unsere Sachen versteckt hatten, oder sie alle zurückbringen, und schon am Montag hatten wir praktisch alles wieder beisammen. Die Wichtel schlagen sich immer noch mit den Kobolden herum und haben uns versprochen, bis Neujahr werde kein einziger mehr übrig sein. Ich bin da nicht so sicher – in einem Jahrhundert oder so tauchen die bestimmt wieder auf.

Wir hatten viel Betrieb; aber der liebe alte Höhlenbär und seine Söhne und die Wichtelfrauen haben geholfen; deshalb sind wir gut vorangekommen, und alles ist fertig gepackt. Hoffentlich riechen die Geschenke nicht nach Kobold. Sie sind alle gut ausgelüftet worden. Von den Eisenbahnen fehlt noch das eine oder andere Teil, aber ich hoffe, dass ich Eure Wünsche erfüllen konnte. Dieses Jahr kann ich nicht ganz so viel Spielzeug transportieren wie sonst, weil ich eine Menge Essen und Kleidung (nützliche Dinge) mitnehme; in Eurem Land und anderswo gibt es in diesem Winter viel zu viele Menschen, die Hunger haben und frieren.

Wir mussten gewaltige Schnee- und Eisstürme durchstehen, und mein altes Haus liegt unter Schnee begraben. Der Polarbär hat heute das Gekritzel von Eurem Vater erhalten, und er war sehr verwirrt. Ich habe ihm erklärt, dass es nach alten Vorlesungsnotizen aussieht, und da hat er gelacht. Seiner Meinung nach muss Oxford ein ziemlich verrückter Ort sein, wenn Leute über sowas Vorlesungen halten: »Aber ich glaube nicht, dass irgendjemand zuhört.«

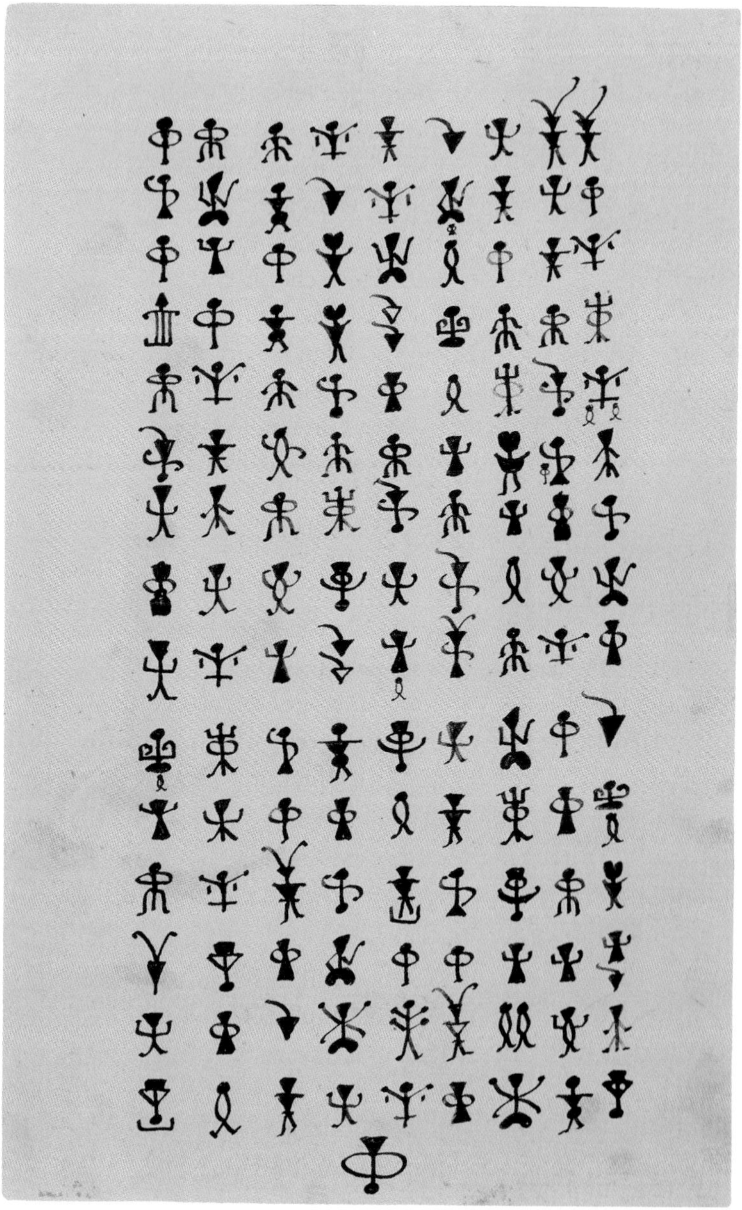

(5)

a very Merry Christmas and lots of fun in the New Year and good luck at School. As you are all so clever now (he says) what with Latin & French & Greek you will easily read it and see that P.B. sends much love. *

I am not so sure. But P.B. says that nearly all of it is actually in my letter between the two red stars. (Anyway I dare say he would send you a copy of his alphabet if you wrote & asked. By the way he writes it in columns from top to bottom, not across: don't tell him I gave away his secret).

This is one of my very longest letters. It has been an exciting time. I hope you will like hearing about it. I send you all my love: John, Michael, Christopher, & Priscilla: also Mummy and Daddy and Auntie & all the people in your house. I daresay John will feel he has got to give up stockings now & give way to the many new children that have arrived since he first began to hang his up; but Fr. Ch. will not forget him. Bless you all. Your loving

Nicholas Christmas.

Christmas 1932

Die Zeichnungen haben ihm besser gefallen. Er sagte: »Zumindest hat der Vater der Buben versucht, Bären zu zeichnen – auch wenn sie nicht besonders gelungen sind. Alles Unsinn, natürlich, aber ich werde ihm antworten.«

Also hat er aus den Zeichen in den Höhlen ein Alphabet zusammengeschustert. Er behauptet, es sei viel schöner als normale Buchstaben oder als Runen oder Polarbuchstaben, und seine Tatzen kämen damit auch besser klar. Er malt sie mit dem hinteren Ende seines Federhalters! Euch hat er einen kurzen Brief in diesem Alphabet geschrieben – um Euch fröhliche Weihnachten und viel Spaß im neuen Jahr und Glück in der Schule zu wünschen. Da Ihr alle so schlau geworden seid (sagt er) und schon Latein und Französisch und Griechisch gelernt habt, könntet Ihr es problemlos lesen und sehen, dass Euch Polarbär herzlich grüßt.

Ich bin mir da nicht so sicher. (Jedenfalls glaube ich, dass er Euch eine Abschrift seines Alphabets schicken würde, wenn Ihr ihn danach fragt. Übrigens schreibt er in Spalten von oben nach unten, nicht von links nach rechts, aber erzählt ihm nicht, dass ich sein Geheimnis verraten habe.)

Das ist einer der längsten Briefe, die ich je geschrieben habe. Es waren auch aufregende Zeiten. Ich hoffe, Euch gefällt, was ich erzähle. Ganz herzliche Grüße an John, Michael, Christopher und Priscilla; und an Mama und Papa und Tantchen und alle, die bei Euch sind. Wahrscheinlich irre ich mich nicht, wenn ich sage, dass John zu der Ansicht gelangt ist, dass er keine Strümpfe mehr aufhängen sollte, schließlich sind viele Kinder hinzugekommen, seit er seinen ersten aufgehängt hat; aber der Weihnachtsmann wird ihn nicht vergessen. Euch allen meinen Segen.

Euer Euch liebender Nikolaus Weihnachtsmann

from Fr. X'mas

nr. North Pole.
Dec. 2nd. 1933.

Dear People. Very cold here at last. Business has really begun, & we are working hard. I have had a good many letters from you. Thank you. I have made notes of what you want so far, but I expect I shall hear more from you yet. I am rather short of messengers – the goblins have – but I haven't time to tell you about my excitements now. I hope I shall find time to send a letter later. Give John my love when you see him. I send love to all of you, & a kiss for Priscilla – tell her my beard is quite nice & soft, as I have never shaved. Three weeks to Christmas Eve!

Yrs Father N. Christmas

CHEER UP CHAPS* THE FUN'S BEGINNING YRS P. B.

*also chaplet (if that's the feminine)

1933

Beim Nordpol
2. Dezember 1933

Liebe Geschwister,

hier ist es endlich eiskalt geworden. Es ist viel los, und wir arbeiten schwer. Von Euch sind ja ganz viele Briefe eingetroffen. Vielen Dank. Eure bisherigen Wünsche habe ich mir aufgeschrieben, aber ich denke, da kommen noch

mehr – fast habe ich nicht mehr genügend Boten – die Kobolde haben … – aber ich habe nicht die Zeit, Euch zu erzählen, was hier Aufregendes los war. Hoffentlich finde ich später Zeit für einen Brief.

Grüßt John ganz herzlich, wenn Ihr ihn seht. Euch alles Liebe und Priscilla einen dicken Kuss – sagt ihr, dass mein Bart wunderbar weich ist, weil ich mich noch nie rasiert habe.

Noch drei Wochen bis Heiligabend!

Euer Nikolaus Weihnachtsmann

Kopf hoch, Ihr Kerle (Und Kerlinnen, wenn das die weibliche Form ist). Der Spaß geht los!

Gruß, Euer Polarbär

Klippenhaus
Beim Nordpol
21. Dezember 1933

Meine Lieben,

wieder mal Weihnachten! Und ich habe neulich (im November) schon fast gedacht, es würde in diesem Jahr gar nicht Weihnachten werden. Der 25. Dezember natürlich, der würde kommen, aber nichts von Eurem alten Ur-Ur-Ur(usw.)-Großvater am Nordpol.

Kobolde! Der schlimmste Überfall, den wir seit Jahrhunderten hatten. Sie waren ja schon die ganze Zeit schrecklich wütend, weil wir sie voriges Jahr mit grünem Rauch betäubt und ihnen ihr ganzes zusammengestohlenes Spielzeug weggenommen haben. Ihr wisst doch noch, die Roten Wichtel haben damals versprochen, mit ihnen aufzuräumen, und an Neujahr war auch wirklich kein einziger Kobold mehr zu finden, in keinem Loch und in keiner Höhle. Aber ich habe gleich gesagt, die tauchen wieder auf, wenn auch vielleicht erst in hundert Jahren.

So lange haben sie nicht gewartet! Sie müssen von überall in der Welt ihre garstigen Freunde aus den Bergen zusammengetrommelt haben und den ganzen Sommer über am Werk gewesen sein, während wir am schläfrigsten waren. Diesmal kamen sie fast ohne Vorwarnung.

Polarbär wurde kurz nach Allerheiligen äußerst unruhig; jetzt behauptet er, er habe einen unangenehmen Geruch bemerkt, aber wie immer hat er kein Wort davon gesagt – er habe mich nicht beunruhigen wollen, sagt er. Er ist wirklich ein lieber alter Kerl, und diesmal hat er ganz entschieden das Weihnachtsfest gerettet. Er hat sich nämlich in der Küche schlafen gelegt, mit der Nase zur Kellertür, wo es über die Haupttreppe zu meinem großen Vorratslager hinuntergeht.

Eines Nachts, so um Christophers Geburtstag herum, wurde ich plötzlich wach. Im Zimmer quiekte und zischte

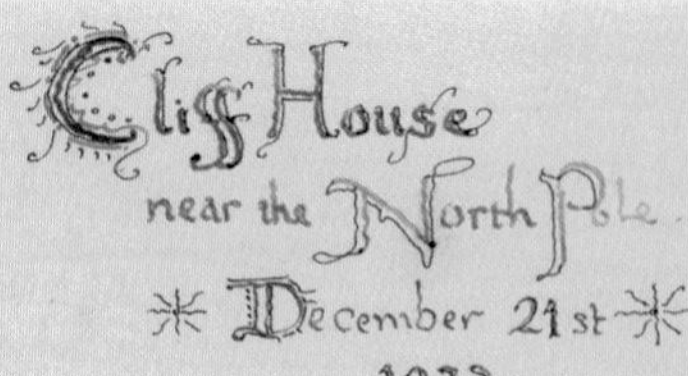

Cliff House
near the North Pole
December 21st
1933

My dears

Another Christmas! and I almost thought at one time (in November) that there would not be one this year. There would be the 25th of Dec. of course, but nothing from your old great-great-great-etc. grandfather at the North Pole. My pictures tell you part of the story. Goblins. The worst attack we have had for centuries. They have been fearfully wild and angry ever since we took all their stolen toys off them last year & dosed them with green smoke. You remember the Red Gnomes promised to clear all of them out. There was not one to be found in any hole or cave by New Years day. But I said they would crop up again — in a century or so. They have not waited so long! They must have gathered their nasty friends from mountains all over the world, & been busy all the summer while we were at our sleepiest. This time we had very little warning. Soon after All Saints' Day PB got very restless. He now says he smelt nasty smells — but as usual he did not say anything: he says he did not want to trouble me. He really is a nice old thing, & this time he absolutely saved Christmas. He took to sleeping in the kitchen with his nose towards the cellar-door, opening on the main-stairway down into my big stores.

One night, just about Christopher's birthday, I woke up suddenly. There was squeaking and spluttering in the room & a nasty smell — in my own best green & purple room that I had

es, und es roch ganz abscheulich – denkt nur, in meinem eigenen allerbesten Zimmer, das ich mir gerade ganz in Grün und Dunkelrot wunderschön eingerichtet hatte! Auf einmal sah ich am Fenster ein freches kleines Gesicht. Da wurde ich wirklich ganz aufgeregt, denn mein Fenster ist hoch über der Klippe, und das bedeutete, dass da Kobolde auf Fledermäusen ritten – was wir seit der Koboldschlacht im Jahr 1453, von der ich Euch ja berichtet habe, nicht mehr erlebt haben.

Ich war gerade erst richtig wach, als tief unter mir, in den Lagerkellern, ein schreckliches Getöse losbrach. Was ich dann sah, als ich unten ankam (nachdem ich gleich auf der Fußmatte auf einen Kobold getreten war), das wäre zu umständlich zu beschreiben, darum habe ich ein Bild davon zu zeichnen versucht.

Waren aber mindestens tausend Kobolde, nicht bloß 15.

(Aber du kannst ja wohl kaum verlangen, dass ich tausend male!) Polarbär stampfte und trampelte zwischen ihnen herum, kniff und quetschte sie, schlug sie bewusstlos oder schleuderte sie mit Fußtritten hoch in die Luft; dabei brüllte er wie ein ganzer Zoo, und die Kobolde kreischten wie Eisenbahnlokomotiven. Polarbär war einfach großartig.

Genug um den Bart gestrichen – ich hatte auch einen Riesenspaß dabei!

Nun, es ist eine lange Geschichte. Der Kampf dauerte über zwei Wochen, und es sah schon so aus, als würde mein Schlitten dieses Jahr im Schuppen bleiben. Die Kobolde hatten einen Teil der Vorräte in Brand gesteckt und mehrere Wichtel, die zur Sicherheit unten schliefen, gefangengenommen, bis dann Polarbär mit weiteren Wich-

just had done up most beautifully. I caught sight of a wicked little face at the window. Then I was really upset, for my window is high up above the cliff, & that meant there were bat-riding goblins about — which we haven't seen since the goblin-war in 1453, that I told you about. I was only just quite awake, when a terrific din began far downstairs — in the store-cellars. It would take too long to describe, so I have tried to draw a picture of what I saw when I got down — after treading on a goblin on the mat. ONLY THIER WAS MORE LIKE 1000 GOBLINS THAN 15 P.B. (But you could hardly expect me to draw 1000.) P.B. was squeezing, squashing, trampling, boxing and kicking goblins sky-high, & roaring like a zoo, & the goblins were yelling like engine whistles. He was splendid. [SAY NO MORE! I ENJOYED IT IMMENSELY!] Well it is a long story. The trouble lasted for over a fortnight, & it began to look as if I should never be able to get my sleigh out this year. The goblins had set part of the stores on fire and captured several gnomes, who sleep down there on guard, before P.B. and some more gnomes came in — and killed 100 before I arrived. Even when we had put the fire out and cleared the cellars and house (I can't think what they were doing in my room, unless they were trying to set fire to my bed) the trouble went on. The ground was black with goblins under the moon when we looked out and they had broken up my stables and gone off with the reindeer. I had to blow my golden trumpet (which I have not done for many years) to summon all my friends. There were several battles — every night they used to attack and set fire to the stores — before we got the upper hand, & I am afraid quite a lot of my dear elves got hurt. Fortunately we have not lost much except my best string (gold and silver) and packing papers and holly-boxes. I am very short of these: and I have been very short of messengers. Lots of my people are still away (I hope they will come back safe) chasing the goblins out of my land, those that are left alive. They have rescued all my reindeer. We are quite happy & settled again now, & feel much safer. It really will be centuries before we get another goblin-trouble. Thanks to

P.B., & the gnomes, there can't be very many left at all.

AND FRS. I WISH I COULD DRAW OR HAD TIME TO TRY — YOU HAVE NO IDEA WHAT THE OLD MAN CAN DOO! LITENING AND FIERWORKS AND THUNDER OF GUNS!

P.B. certainly has been busy, helping double helps — but he has mixed ups some of the girls things with the boys' in his hurry. We hope we have got all sorted out — but if you hear of any one getting a doll when they wanted an engine, you will know why. Actually P.B. tells me I am wrong we did lose a lot of railway stuff — goblins always go for that — and what we got back was damaged and will have to be repainted. It will be a busy summer next year.

Now a merry Christmas to you all once again. I hope you will all have a very happy time; & will find that I have taken notice of your letters, & sent you what you wanted. I don't think my pictures are very good this year — though I took quite a time over them (at least two minutes). P.B. says "I don't see that a lot of stars & pictures of goblins in your bed room are so frightfully merry". Still I hope you won't mind. It is rather good of P.B. kicking really. Anyway I send lots of love.

Yours ever and annually
Father N. Christmas.

teln kam und sogleich, noch bevor ich unten war, hundert Kobolde tötete.

Als wir das Feuer gelöscht und die Kobolde aus Keller und Haus vertrieben hatten (ich habe keine Ahnung, was sie in meinem Zimmer gesucht haben, außer dass sie vielleicht mein Bett in Brand stecken wollten), ging der Kampf aber immer noch weiter. Im Mondlicht draußen war der Boden schwarz von Kobolden, als wir hinausschauten, und sie hatten auch meine Ställe aufgebrochen und waren mit den Rentieren auf und davon.

Ich musste meine goldene Trompete blasen (und das habe ich seit Jahren nicht mehr getan), um alle meine Freunde herbeizurufen. Jede Nacht griffen sie aufs Neue an und legten Feuer an meine Vorräte, bis wir endlich die Oberhand gewannen. Etliche meiner lieben Elbchen, fürchte ich, sind dabei verletzt worden.

Zum Glück haben wir aber nicht allzuviel verloren, außer meiner besten Kordel (aus Gold und Silber) und Packpapier und den Schachteln für die Stechpalmenzweige. Von denen habe ich nun fast keine mehr, und es mangelt mir auch sehr an Boten. Viele meiner Leute sind immer noch unterwegs (hoffentlich kommen sie heil zurück), um die Kobolde – die am Leben geblieben sind – aus dem Land zu jagen.

Meine Rentiere sind aber alle gerettet. Wir sind froh darüber und haben uns wieder beruhigt, und nun fühlen wir uns viel sicherer. Bestimmt vergehen Jahrhunderte, bis wir wieder Ärger mit Kobolden kriegen. Dank Polarbär und den Wichteln können nicht sehr viele übriggeblieben sein.

Und dank dem Weihnachtsmann! Könnte ich doch mahlen oder hätte Zeit es zu üben – ihr habt ja gar keine Ahnung, was der Alte alles macht, Blitz und Feuerwerk und Kanohnendonner!

Polarbär ist wirklich sehr fleißig gewesen und hat geschufftet für zwei – aber in der Eile hat er ein paar Mädchensachen mit den Geschenken für die Jungen durcheinandergebracht. Wir hoffen, es ist wieder alles richtig sortiert – aber solltet Ihr hören, dass jemand sich eine Lokomotive gewünscht und statt dessen eine Puppe bekommen hat, dann wisst Ihr, wieso. Gerade sagt mir Polarbär, dass das nicht stimmt: Uns sind doch eine Menge Eisenbahnsachen abhanden gekommen (darauf sind Kobolde immer besonders scharf), und was wir davon zurückbekommen haben, ist beschädigt und muss neu angemalt werden. Das wird ein arbeitsreicher Sommer im nächsten Jahr.

Nun, Euch allen fröhliche Weihnachten. Ich wünsche Euch eine glückliche Zeit! Ihr werdet alsbald feststellen, dass ich mir Eure Briefe aufmerksam durchgelesen und Euch geschickt habe, was Ihr wolltet. Meine Bilder gefallen mir dieses Jahr nicht besonders gut – obwohl ich mir ziemlich viel Zeit für sie genommen habe (mindestens zwei Minuten). Polarbär sagt: »Ich verstehe nicht, warum ein Haufen Sterne und Bilder von Kobolden im Schlafzimmer so entsetzlich lustig sein sollen.« Trotzdem, ich hoffe, sie gefallen Euch. Polarbär, wie er nach den Kobolden tritt, ist wirklich gut getroffen. Jedenfalls wünsche ich Euch alles Liebe.

Stets und wie jedes Jahr – Euer Nikolaus Weihnachtsmann

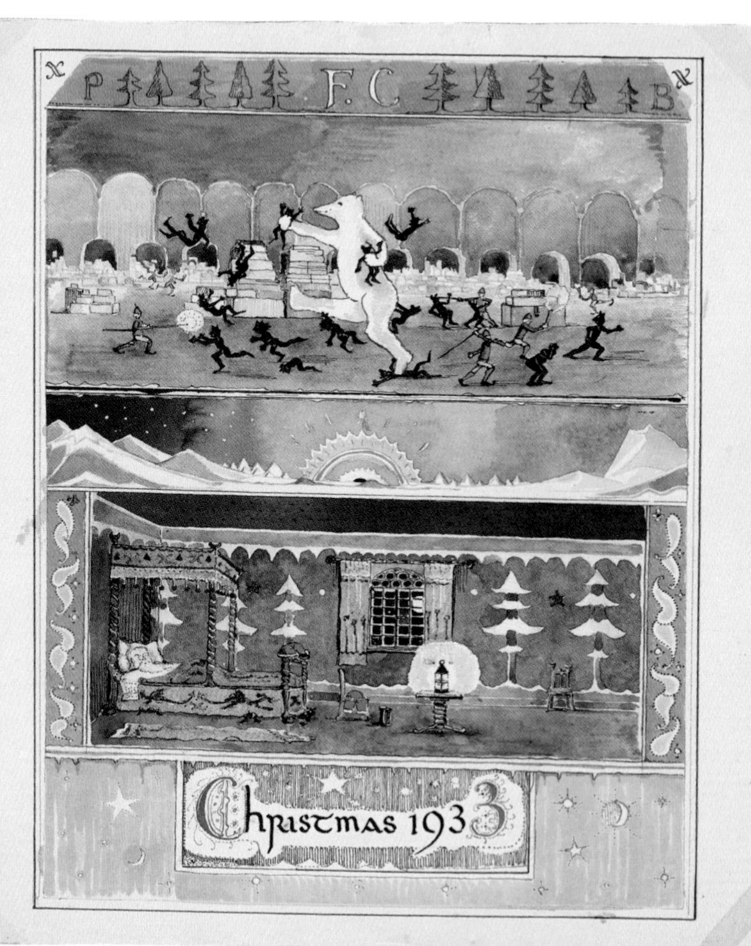
P F.C B
Christmas 1933

1934

Sofort Dringend Express!

Mein lieber C,

vielen Dank! Ich bin tatsächlich wach – und das schon eine ganze Weile. Aber mein Postamt öffnet eigentlich erst am Michaelistag. Regelmäßig werde ich meine Boten dieses Jahr nicht vor dem 15. Oktober losschicken können. Hier gibt es einiges zu tun. Dein Telegramm – deshalb habe ich meine Antwort auch Express geschickt – und Dein Brief und Priscillas Brief sind rein zufällig gefunden worden, nicht von einem der Boten, sondern vom Glöckner (warum er so heißt, weiß ich nicht – Glocken läutet er jedenfalls nicht; er ist für meinen Schornstein zuständig und macht sich an die Arbeit, sobald das erste Feuer angezündet wird).

Dir und Priscilla alles Liebe. (Der Polarbär, wenn Ihr Euch an den noch erinnert, schläft immer noch tief und fest, und er ist ganz dünn geworden, so lange hat er gefastet. Dem wird bald abgeholfen werden. Ich werde ihn an den Rippen kitzeln und wecken; und er wird ein Frühstück für mehrere Monate auf einmal essen.)

Alles Liebe – Euer Weihnachtsmann

!! Liebe Boten: Sofort überbringen, ohne Halt unterwegs !!

At once

Urgent

Express!

My dear C.

Thank you! I am awake — & have been a long while. But my Post Office does not really open ever until Michaelmas. I shall not be sending my messengers out regularly this year until about October 15th. There is a good deal to do up here. Your telegram — that is thy express reply — & letter & Prisilla's (does she really spell it that way?) were found quite by accident: not by a messenger but by Bellman (I don't know how he got that name because he never rings any; he is my chimney inspector & always begins work as soon as the first fires are lit). Very much love to you and P. (The P.B. if you remember him, is still fast asleep, & quite thin after so much fasting. He will soon cure that. I shall tickle his ribs & wake him up soon; & then he will eat several months' breakfast all in one.) More love.

Yr loving Fr. C.

1934

!! To messenger: Deliver at once & don't stop on the way !!

Klippenhaus
Nordpol
Heiligabend 1934

Mein lieber Christopher,

ganz herzlichen Dank für Deine vielen Briefe. Dieses Jahr hatte ich nicht die Zeit für einen so langen Brief wie 1932 und 1933, aber es ist auch nichts Aufregendes geschehen. Ich hoffe, Dir gefallen die Sachen, die ich Dir bringe, und sie entsprechen Deinen Wunschzetteln.

Es gibt nicht viel Neues. Nach der schrecklichen Sache voriges Jahr war diesmal im Umkreis von 200 Meilen kein Kobold auch nur zu riechen. Aber, wie ich gesagt habe: Wir hatten bis weit in den Sommer hinein damit zu tun, all die angerichteten Schäden zu reparieren; das hat uns viel Schlaf und Erholung gekostet.

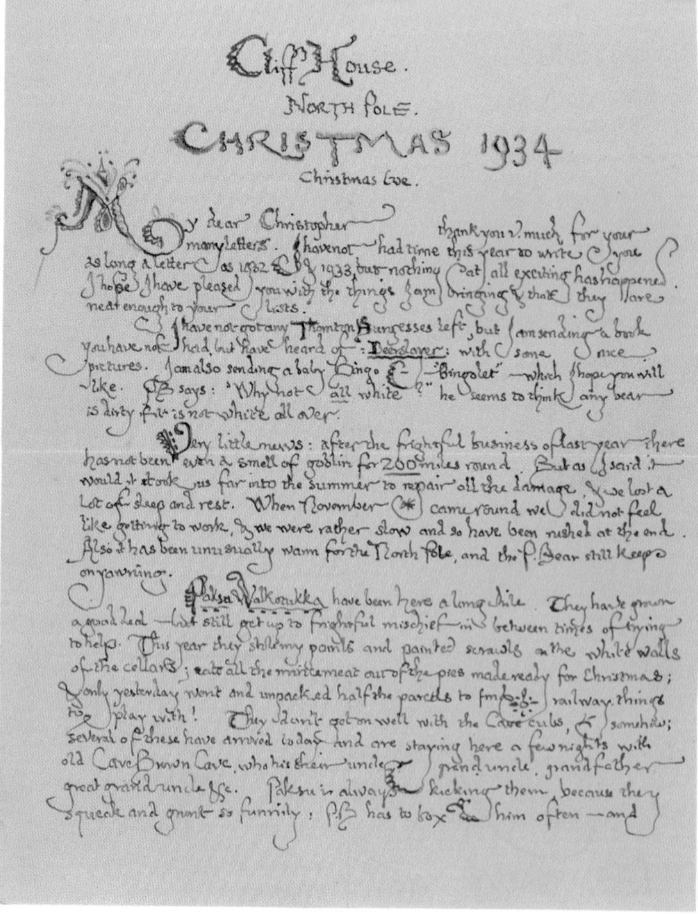

Cliff House.
North Pole.
Christmas 1934
Christmas Eve.

My dear Christopher thank you v. much for your many letters. I have not had time this year to write you as long a letter as 1932 & 1933, but nothing at all exciting has happened. I hope I have pleased you with the things I am bringing & that they are near enough to your lists.

I have not got any Thornton Burgesses left, but I am sending a book you have not had, but have heard of: Deerslayer: with some nice pictures. I am also sending a baby Bingo – "Bingolet" – which I hope you will like. P.B. says: "Why not all white?" he seems to think any bear is dirty if it is not white all over.

Very little news: after the frightful business of last year there has not been even a smell of goblin for 200 miles round. But as I said it would, it took us far into the summer to repair all the damage, & we lost a lot of sleep and rest. When November came round we did not feel like getting to work, & we were rather slow and so have been rushed at the end. Also it has been unusually warm for the North Pole, and the P. Bear still keeps on yawning.

Paksu & Valkotukka have been here a long while. They have grown a good deal – but still get up to frightful mischief in between times of trying to help. This year they stole my paints and painted scrawls on the white walls of the cellars; ate all the mincemeat out of the pies made ready for Christmas; & only yesterday went and unpacked half the parcels to find railway things to play with! They don't get on well with the Cave cubs, somehow; several of these have arrived today and are staying here a few nights with old Cave Brown Cave, who is their uncle, grand uncle, grandfather, great grand uncle &c. Paksu is always kicking them, because they squeak and grunt so funnily: P.B. has to box him often – and

Christmas 1934
FC

Als der November kam, war uns gar nicht nach Arbeit zumute, und wir haben ziemlich getrödelt, und zum Schluss mussten wir uns dann sputen. Bisher war es auch ungewöhnlich warm für den Nordpol, und Polarbär muss immerzu gähnen.

Schon eine ganze Weile sind Paksu und Valkotukka wieder hier. Sie sind ein ganzes Stück größer geworden, und bisweilen versuchen sie mir zu helfen, aber zwischendurch stellen sie immer noch schrecklichen Unfug an. In diesem Jahr haben sie meine Farben gestohlen und bunte Kritzeleien auf die weißen Kellerwände geschmiert; aus den fertigen Weihnachtspasteten haben sie die ganze Füllung herausgegessen, und erst gestern haben sie doch tatsächlich die Hälfte der Päckchen aufgemacht, auf der Suche nach Eisenbahnsachen zum Spielen!

Irgendwie vertragen sie sich gar nicht mit den kleinen Höhlenbärchen. Von denen sind heute mehrere angekommen, um für ein paar Tage den alten Höhlenbären zu besuchen, der ihr Onkel, Großonkel, Großvater, Urgroßonkel usw. ist. Paksu versetzt ihnen immer Tritte, weil sie dann so komisch quieken und grunzen. Polarbär muss ihm öfters mal eine langen, und wenn Polarbär zulangt, ist das kein Spaß.

Da weit und breit keine Kobolde zu sehen sind, auch kein Wind geht und wir so viel weniger Schnee haben als sonst, wollen wir hier am zweiten Weihnachtstag ein großes Fest geben, im Freien. Ich werde 100 Elbchen und Rote Wichtel einladen, viele kleine Polar- und Höhlenbären und auch Schneekinder, und natürlich werden auch Paksu und Valkotukka und Polarbär und Höhlenbär mit seinen Neffen (usw.) dabei sein.

'box' from P.B. as a joke. As there are no Goblins about, and as there is no wind, & so far much less snow than usual, we are going to have a great 'boxing-day' party ourselves — out of doors. I shall ask 100 elves & red gnomes, lots of polar cubs, cave-cubs, and snowbabies, & of course P.&V. and P.B. and C.B.E. and his nephews (etc) will be there.

We have brought a tree all the way from Norway and planted it in a pool of ice. My picture gives you no idea of its size, or of the loveliness of its magic lights of different colours. We tried them yesterday evening to see if they were all right — See picture. If you see a bright glow in the North you will know what it is! The tree-ish things behind, are snowplants, and piled masses of snow made into ornamental shapes — they are purple and black because of darkness & shadow. The coloured things in front is a special edging to the ice-pool — and it's made of real coloured icing. P.&V. are already nibbling at it, though they should not — till the party.

P.B. started to draw this to help me, as I was busy, but he dropped such blots — enormous ones — hold it up to the light and you will see where. I had to come to the rescue. Not very good this year. Never mind: perhaps better next year.

I hope you will like your presents & be very happy. Your loving

Fr. Christmas.

P.S. I really can't remember exactly in what year I was born. I doubt if anyone knows. I am always changing my own mind about it. Anyway it was 1934 years ago or jolly nearly that. Bless you!

FC

P.P.S. Give my love to Mick & John.

P.B. LOVE BISY THANKS

Den ganzen weiten Weg aus Norwegen haben wir einen Christbaum hierhergeschafft und ihn in einen Teich aus Eis eingepflanzt. Mein Bild gibt Euch keine rechte Vorstellung davon, wie groß er ist und wie wunderschön seine verschiedenfarbigen Zauberlichter leuchten. Wir haben sie gestern Abend einmal ausprobiert, um zu sehen, ob sie auch richtig brennen. Wenn Ihr im Norden einen hellen Schein am Himmel seht, wisst Ihr, was das ist.

Hinter dem Baum seht Ihr Eisblumensträucher und aus Schnee gebaute Baumkulissen zur Zierde; sie sind purpurn und schwarz gemalt, weil es dort hinten schattig und dunkel ist. Die bunten Zacken davor sind eine besondere Einfassung für den Eisteich, sie bestehen aus echtem farbigen Zuckerwerk. Paksu und Valkotukka knabbern bereits daran herum, obwohl das noch nicht erlaubt ist – vor dem Fest.

Polarbär wollte mir helfen, dieses Bild zu malen, weil ich zu tun hatte, aber er hat dauernd Kleckse gemacht – riesige Kleckse. Dieses Jahr läuft es also nicht besonders gut. Macht nichts, nächstes Jahr wird es vielleicht besser.

Ich hoffe, Dir gefallen Deine Geschenke, und Du bist sehr glücklich.

Alles Liebe
Dein Weihnachtsmann.

PS Ich weiß wirklich nicht mehr, in welchem Jahr ich geboren wurde. Wahrscheinlich weiß das niemand. Ich überlege es mir jedesmal anders. Aber das war vor 1934 Jahren – in etwa jedenfalls. Meinen Segen! WM
PPS Ganz herzliche Grüße an Mick und John.

Polarbär ALLES LIEBE VIIL LOS DANKE

24. Dezember 1934

Liebe Priscilla,

Danke für die schönen Briefe. Viele viele Grüße. Ich hoffe Dir geht es gut und du hast Freude an den Sachen, die ich bringe. Kannst Du das schon alleine lesen? – ich habe so schön geschrieben wie ich kann.

Gruß auch vom Polarbären. Es freut ihn, dass Du Deinen Bären Bingo genannt hast – er findet den Namen witzig, aber er findet, ein Bär muss ganz weiß sein. Ich schicke auch ein Bild in Christophers Brief, es ist für Euch beide.

Dein Dich liebender Weihnachtsmann

Gruß
Binbeschäftigt
Danke
Polarb.

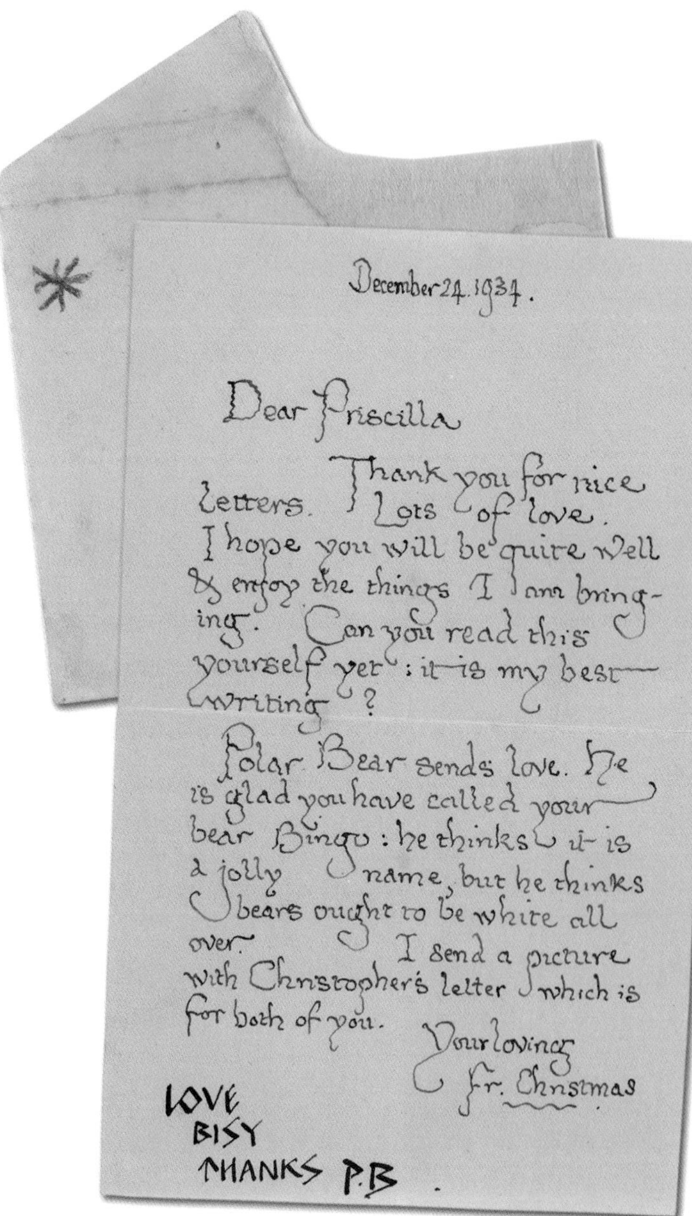
December 24. 1937.

Dear Priscilla

Thank you for nice letters. Lots of love. I hope you will be quite well & enjoy the things I am bringing. Can you read this yourself yet: it is my best writing?

Polar Bear sends love. He is glad you have called your bear Bingo: he thinks it is a jolly name, but he thinks bears ought to be white all over. I send a picture with Christopher's letter which is for both of you.

Your loving
Fr. Christmas

LOVE
BISY
THANKS P.B.

1935

24. Dezember 1935
Nordpol

Meine lieben Kinder,

auf ein Neues! Die Zeit bis Weihnachten scheint mit jedem Jahr kürzer zu werden: immer fast gleich und doch immer wieder anders. Keine Tinte diesmal und kein Wasser, also auch keine bunten Bilder; außerdem sehr kalte Hände, daher sehr wacklige Schrift.

Letztes Jahr war es sehr warm, in diesem Jahr ist es furchtbar kalt; Schnee, Schnee, Schnee – und Eis. Wir sind ganz unter Schnee begraben; einige meiner Boten haben sich verirrt und sind statt in Schottland auf einmal in Neuschottland angekommen – falls Ihr wisst, wo das ist. Und Polarbär – falls Ihr wisst, wer das ist – hat nicht nach Hause gefunden.

Das ist ein Bild meines Hauses von voriger Woche: da hatten wir die Rentierschuppen noch nicht freigeschaufelt. Wir mussten einen Tunnel bis zur Haustür anlegen. Oben leuchten aus Schneelöchern nur drei Fenster heraus, aber Ihr könnt es dampfen sehen, wo von Kuppel und Dach der Schnee abschmilzt.

Und das ist der Blick aus meinem Schlafzimmerfenster. Natürlich ist fallender Schnee nicht blau – aber blau ist

kalt: Jetzt versteht Ihr sicher, warum Eure Briefe so lange unterwegs waren. Hoffentlich sind sie alle eingetroffen und Ihr bekommt die richtigen Sachen.

Armer alter Polarbär (an ihn erinnert Ihr Euch doch sicher noch) – er musste letzte Woche los, kurz nachdem es angefangen hat zu schneien. Seine Familie hat irgendwelche Schwierigkeiten, und Paksu und Valkotukka waren krank. Um andere Leute kann er sich gut kümmern, nur um sich selbst nicht.

Aber über Eis und Schnee ist es wohl ein fürchterlich weiter Weg nach Nordgrönland. Und als er endlich dort war, konnte er nicht mehr zurück. Mit der Arbeit komme ich kaum nach, und zu allem Unglück sind auch noch die Ställe und die Lagerschuppen völlig eingeschneit.

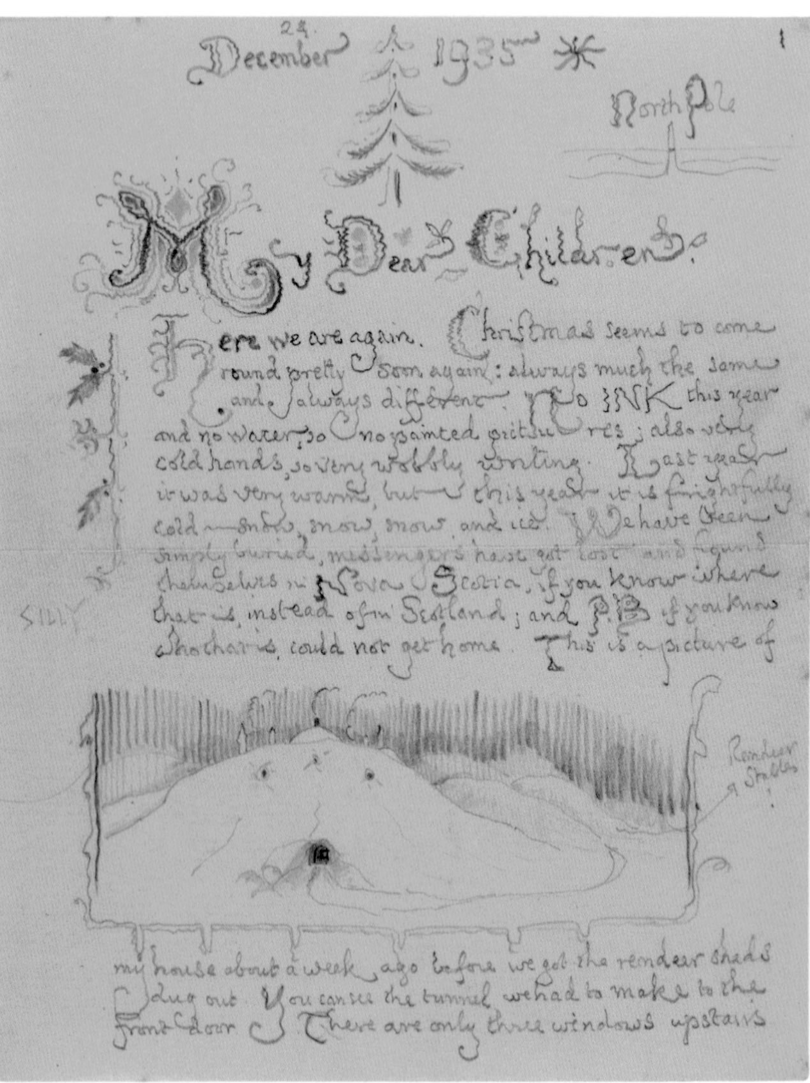

24 December 1935 — North Pole — 1

My Dear Children,

Here we are again. Christmas seems to come round pretty soon again: always much the same and always different. NO INK this year and no water, so no painted pictures; also very cold hands, so very wobbly writing. Last year it was very warm, but this year it is frightfully cold — snow, snow, snow, and ice. We have been simply buried, messengers have got lost and found themselves in Nova Scotia, if you know where that is, instead of in Scotland; and P.B. if you know SILLY who that is, could not get home. This is a picture of

my house about a week ago before we got the reindeer sheds dug out. You can see the tunnel we had to make to the front door. There are only three windows upstairs

shining through holes – but you can see steam where the snow is melting off the dome and roof. This a view from my bedroom window. Of course snow

coming down is not blue – but blue is cold. You can understand why your letters were slow in going. I hope I got them all, and anyway that the right things arrive for you. Poor old P.B. (you who I mean) had to go away soon after the snow began last month. There was some trouble in his family, and Paksu & Valkotukka were ill. He is very good at doctoring anybody but himself. But it is a dreadfully long way over the ice and snow to North Greenland I believe. And when he got there he could not get back. So I have been rather held up, especially as the Reindeer stables and the outdoor store sheds are snowed over. I have had to have a

SILLY AGAIN

PB

lot of Red Elves to help me. They are very nice & great fun; but although they are very quick they don't get on fast, for they turn everything into a game. Even digging snow. And they will play with

Ich musste eine ganze Anzahl Roter Elbchen bitten, mir zu helfen. Sie sind sehr nett und wirklich lustig; aber obwohl sie sehr flink sind, kommen sie mit der Arbeit nur langsam voran, weil sie aus allem ein Spiel machen. Sogar aus dem Schneeschaufeln. Und sie spielen immer mit den Sachen, die sie eigentlich einpacken sollten.

PB (falls Ihr Euch an ihn erinnert) ist erst am Freitag, dem 13. Dezember, zurückgekommen – und so wurde das doch ein Glückstag für mich.

(Hört, hört!)

Sogar er musste einen Mantel aus Schaffell und über den Tatzen rote Fäustlinge tragen. Außerdem hatte er eine Kapuze und rote Handschuhe. Er ist der Meinung, dass er wie der Heilige Antonius aussieht. Aber natürlich stimmt das nicht. Jedenfalls transportiert er Sachen in seiner Kapuze – er hat seinen Schwamm und seine Seife darin nach Hause getragen!

Er sagt, dass wir mit den Kobolden noch nicht fertig sind – trotz der Kämpfe im Jahr 1933. Noch wagen sie sich nicht auf mein Land; aber aus irgendeinem Grund pflanzen sie sich wieder fort, und es werden überall in der Welt immer mehr. Eine üble Seuche! In England gibt es zwar nicht so viele, sagt Polarbär, aber ich bin darauf gefaßt, dass ich bald wieder Ärger mit ihnen bekomme.

Meine Elbchen habe ich mit magischen Funkensprühspeeren ausgerüstet, da wird ihnen schon Hören und Sehen vergehen. Jetzt ist der 24. Dezember, und dieses Jahr sind sie nicht aufgetaucht – und so gut wie alles ist gepackt und bereit. Ich werde mich bald auf den Weg machen.

3

SILLY AGAIN

the toys they are supposed to be packing.

P.B., if you remember him, did not get back until Sunday December the 13th — so that proved a lucky day for me (HEAR HEAR!) after all. Even he had to wear a sheepskin coat & red gloves for his paws. And he had od a hood on and red gloves. He thinks he looks rather like Rye St Anthony. But of course he does not very much. Anyway he carries things in his hood — he brought home his sponge and soap in it!

He says that we have not seen the last of the goblins — in spite of the battles in 1933. They won't dare to come into my land yet; but for some reason they are breeding again and multiplying all over the world. Quite a nasty outbreak! But there are not so many in England, he says. I expect I shall have trouble with them soon. I have given my elves

Some new magic sparkler spears that will scare them out of their wits. It is now December 24 and they have not appeared this year – and practically everything is packed up and ready. I shall be starting soon

4

1935

I send you all — John & Michael & Xopher & Priscilla — my love and good wishes this Xmas: tons of good wishes. Pass on a few if you don't want them all!

STUPID JOKE

Polar Bear (in case you don't know what P.B. is) sends love to you — and to the Bingos and to Orange Teddy and to Jubilee (O yes I learn lots of news even in snowy weather)

PB

My messengers will be about until the New Year, if you want to write and tell me everything was all right — I hope you enjoy the

PANTOMIME

Your loving

Father Christmas

P.S. P. & V. are well again. Only Mumps. They will be at my big party on St Stephen's Day with other polar cubs, cave cubs, snowbabies, elves, and all the rest.

Dir und allen anderen – John und Michael und Christopher und Priscilla – alles Liebe und die besten Wünsche für Weihnachten: gute Wünsche in Hülle und Fülle. Gebt ein paar weiter, wenn Ihr nicht alle behalten wollt! Polarbär (falls Ihr nicht wisst, was PB bedeutet) lässt herzlich grüßen – auch die Bingos und Orange Teddy und Jubilee. (O ja, sogar bei dichtem Schnee erfahre ich viele Neuigkeiten). Meine Boten werden bis Neujahr unterwegs sein, falls Ihr mir schreiben wollt, dass alles in Ordnung war.

Hoffentlich gefällt Euch das Märchenspiel.

Euer Euch liebender Weihnachtsmann.

PS Paksu und Valkotukka geht es wieder gut. Es war nur Mumps. Am Stephanstag feiern wir ein großes Fest mit den Kindern der Polarbären und Höhlenbären, der Schneemänner und Elbchen und all den anderen, da werden sie auch dabei sein.

Cliff House
North Pole
Wednesday Dec. 23rd
1936

My dear Children

I am sorry I cannot send you a long letter to thank you for yours, but I am sending you a picture which will explain a good deal. It is a good thing your changed lists arrived before these awful events, or I could not have done anything about it. I do hope you will like what I am bringing and will forgive any mistakes, & I hope nothing will still be wet! I am still so shaky and upset. I am getting one of my elves to write a bit more about things.

I send very much love to you all.

Father C. says you will want to hear some news. P.B. has been quite good — for had been — though he has been rather tired. So has F.C. I think the Christmas business is getting rather too much for them. So a lot of us, red and green elves, have gone to live permanently at Cliff House, and be trained in the packing business. It was P.B.'s idea. He also invented the number system, so that every child that F.C. deals with has a number and we elves learn them all by heart, and all the addresses. That saves

1936

Klippenhaus
Nordpol
Mittwoch, den 23. Dezember 1936

Meine lieben Kinder,

leider kann ich Euch für Eure Zeilen nicht mit einem langen Brief danken, aber ich schicke Euch ein Bild, das Euch vieles erklären wird. Zum Glück sind Eure auf den neuesten Stand gebrachten Wunschlisten vor diesen fürchterlichen Ereignissen eingetroffen, sonst hätte ich nichts mehr tun können. Ich hoffe sehr, dass Euch gefällt, was ich bringe, und dass Ihr mir verzeiht, sollte ich irgend etwas verwechselt haben, und hoffentlich ist auch nichts mehr nass! Ich bin immer noch so zittrig und aufgeregt, dass ich eines meiner Elbchen hier etwas ausführlicher über die Dinge schreiben lasse.

Ich wünsche Euch alles Liebe und Gute.

Der Weihnachtsmann hat gesagt, Ihr wollt wissen, was hier passiert ist. Polarbär hat sich soweit ganz gut benommen – die meiste Zeit jedenfalls. Allerdings war er auch ziemlich müde. Der Weihnachtsmann ebenso; ich glaube, allmählich wird Weihnachten etwas zu viel für sie.

Deshalb wohnen viele von uns, den Roten und Grünen Elbchen, neuerdings ständig im Klippenhaus und werden auf die Packarbeit eingeschult. Die Idee stammt von Polarbär. Er hat auch das Nummernsystem erfunden:

Jedes Kind, um das sich der Weihnachtsmann kümmert, bekommt eine Nummer, und wir Elbchen lernen sie alle auswendig, mitsamt der Adresse. Das spart eine Menge Schreibarbeit.

Viele Kinder haben denselben Namen, deshalb stand gewöhnlich auf jedem Paket auch noch die Anschrift. Polarbär hat gesagt: »In diesem Jahr werde ich einen neuen Rekord aufstellen und dem Weihnachtsmann helfen, so gut voranzukommen, dass wir am Weihnachtstag auch selber ein bisschen feiern können.«

Wir haben allesamt schwer gearbeitet, und Ihr werdet staunen, wenn ich Euch sage, dass bereits vorigen Samstag (dem 19. Dezember) auch das letzte Päckchen gepackt und nummeriert war. Dann sagte Polarbär: »Ich bin vollkommen erledigt. Ich nehme jetzt ein heißes Bad und gehe ins Bett.«

Nun, Ihr könnt selber sehen, was dann passiert ist. So gegen zehn Uhr abends warf Weihnachtsmann noch einen letzten Blick in den Abfertigungsraum für England, und da sah er, dass Wasser durch die Decke floss und alles überschwemmte; schon nach kurzer Zeit stand es fünfzehn Zentimeter hoch. Polarbär war einfach ins Bad gestiegen, während beide Hähne noch liefen, und augenblicklich eingeschlafen, mit der einen

Best wishes for 1937 from F.C & P.B
Xtmas 1936 : F.C.
TIMES
560,783
560784
A Merry Christmas

a lot of writing. So many children have the same name that every packet used to have the address as well. P.B. said: I am going to have a record year and help F.C. to get so forward we can have some fun ourselves on Xmas day. We all worked hard, and you will be surprised to hear that every single parcel was packed and numbered by Saturday last (Dec. 19). Then P.B. said 'I am tired out: I am going to have a hot bath and go to bed early.' Well you can see what happened. F.C was taking a last look round in the English Delivery Room about 10 o'clock when water poured through the ceiling and swamped everything: it was soon 6 ins. deep on the floor. P.B. had simply got into the bath with both taps running and gone fast asleep with one hind paw on the overflow. He had been asleep two hours when we woke him. F.C was really angry. But P.B. only said: 'I did have a jolly dream. I dreamt I was diving off a melting iceberg and chasing seals.' He said later when he saw the damage: 'Well there's one thing: those children at Northpole Road (he always says that) Oxford may lose some of their presents, but they will have a letter worth having this year. They can see a joke, even if none of you can!' That made F.C. angrier, and P.B said: 'Well, draw a picture of it, and ask them if it is funny or not.' So F.C has. But he has begun to think it funny (although very annoying) himself, now we have cleared up the mess, & got the English presents repacked again. Just in time. We are all rather tired, so please excuse scrawly writing.

Yrs. Ilbereth, Secretary to F. Christmas

VERY SORRY. BEEN BIZY. CAN'T FIND THAT ALPHABET. WILL LOOK AFTER CHRISTMAS AND POST IT. YRS. P.B.

You will find two snapshots in this letter. Give them back to your Mother. I hoped she has not missed them. One of my elves borrowed them. You will find out what for.

Yrs F.C.

Hinterpfote auf dem Überlauf. Zwei Stunden hatte er so geschlafen, als wir ihn weckten. Weihnachtsmann war diesmal wirklich böse. Aber Polarbär sagte bloß: »Ach, habe ich schön geträumt! Ich bin im Traum von einem schmelzenden Eisberg runtergetaucht und hab' Seehunde gejagt.« Später, als er sah, was er angerichtet hatte, sagte er: »Nun, es hat auch etwas für sich: die Kinder in der Northpole Road in Oxford (das sagt er immer) mögen ein paar Geschenke weniger bekommen, aber dafür werden sie schon etwas zu lachen haben.«

Das machte den Weihnachtsmann erst recht zornig, aber Polarbär sagte: »Na, dann mal' doch ein Bild davon und frag deine Kinder, ob das etwa nicht lustig ist.« Also hat Weihnachtsmann das getan. Und jetzt findet er das alles selbst schon fast spassig (wenn auch sehr unangenehm), nachdem wir das Durcheinander aufgeräumt und die Geschenke für England neu verpackt haben. Gerade noch rechtzeitig. Wir sind alle ziemlich müde, also bitte entschuldigt mein Gekrakel.

Euer Ilbereth, Sekretär des Weihnachtsmanns

Tut mir wirklich leid. Viel los. Kann das Alphabet nicht finden. Werde nach Weihnachten weitersuchen und es Euch schicken. Euer Polarbär.

Ich habe es gefunden. Ich schicke Euch eine Abschrift. Die schwarzen Flächen müsst Ihr nicht ausfüllen, wenn Ihr keine Lust habt. Man praucht ziemlich lange, um damit zu schreiben, aber ich finde, es ist ziemlich raviniert.

Viel los. Der Weihnachtsmann sagt, dass ich erst nächsdes Jahr wieder ein Bad nehmen darv.

Euch beiden alles Liebe – Ihr habt wenikstens Humor

P. B.

Immerhin habe ich heiß gebadet! Ha! Ha!

I HAVE FOUND IT. I SEND YOU
A COPY. YOU NEEDNT FILL IN
BLACK PARTS IF YOU DONT
WANT TO. IT TAKES RATHER
LONG TO RITE BUT I THINK
IT IS RATHER CLEVER.

STILL BIZY. F.C SEZ I CANT
HAVE A BATH TILL NEXT YEAR.
LOVE TOU YO BOTH BICAUSE
YOU SEE JOKES

P.B.

I GOT INTO HOT WATER
DIDNT I? HA! HA! P.B.

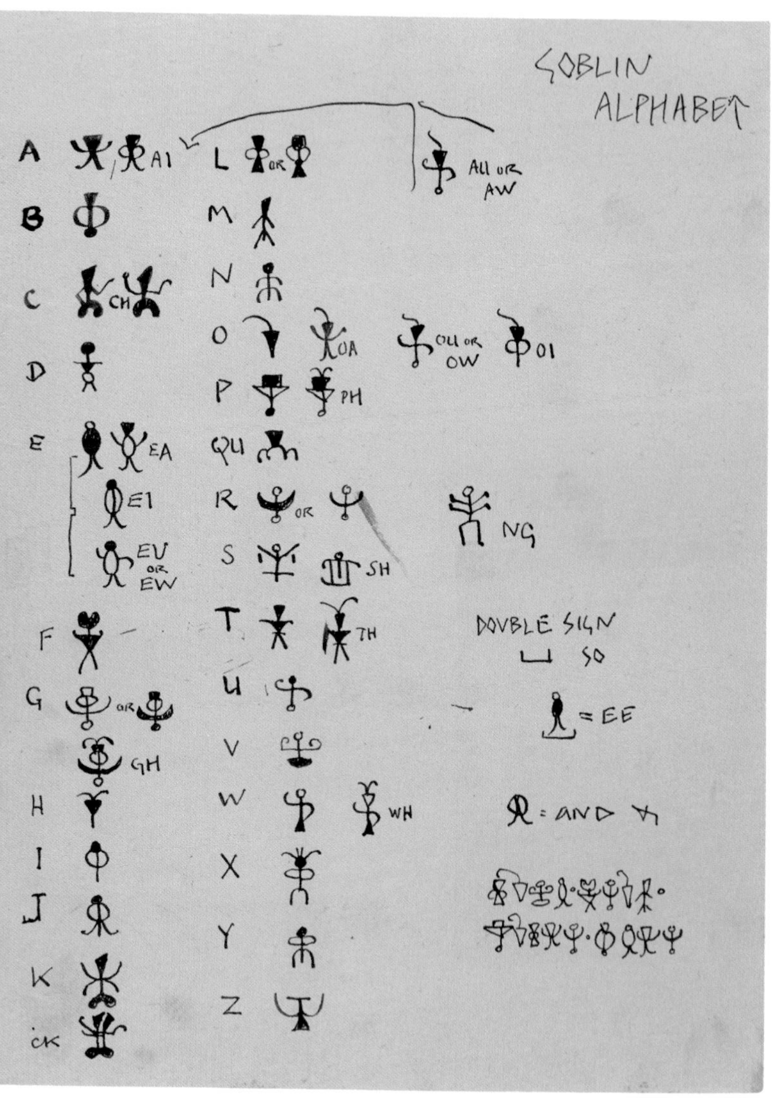
GOBLIN
ALPHABET
A
AI
B
C
CH
D
E
EA
EI
EU
OR
EW
F
G
OR
GH
H
I
J
K
CK
L
OR
M
N
O
OA
OU OR
OW
OI
P
PH
QU
R
OR
S
SH
T
TH
U
V
W
WH
X
Y
Z
ALL OR
AW
NG
DOUBLE SIGN
SO
= EE
= AND

1937

Klippenhaus
Nordpol
Weihnachten 1937

Lieber Christopher, liebe Priscilla – und alle anderen Freunde in Oxford: Hier sind wir wieder!

Natürlich bin ich immer hier (wenn ich nicht auf Reisen bin), aber Ihr wisst, was ich meine. Es ist wieder Weihnachten. 17 Jahre sind es jetzt her, glaube ich, seit ich Euch zum ersten Mal geschrieben habe. Ob Ihr wohl meine

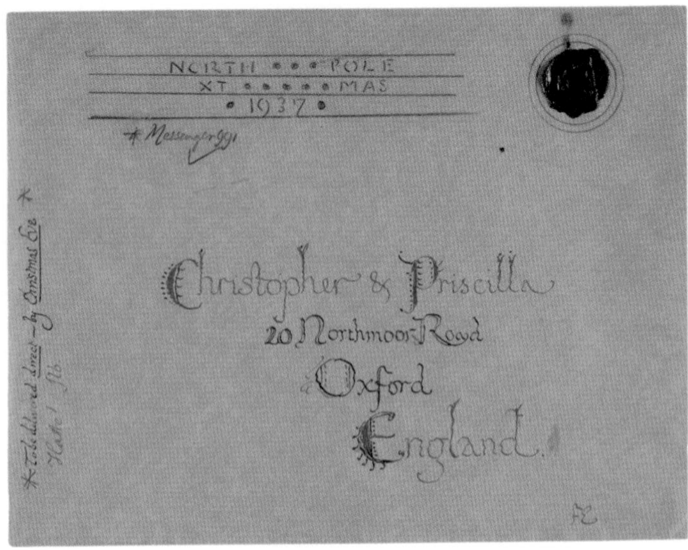

Cliff House
North Pole
Christmas 1937

My dear Christopher and Priscilla, and other old friends at 20 Northmoor Road, Oxford: here we are again! Of course I am always here (when not travelling), but you know what I mean. Christmas again. I believe it is 17 years since I started to write to you. I wonder if you have still got all my letters? I have not been able to keep quite all yours, but I have got some from every year. We had quite a fright this year: no letters came from you. Then one day early in December I sent a messenger, who used to go to Oxford a lot but had not been there for a long while, and he said: 'Their house is empty and everything is sold'. I was afraid something had happened, or that you had all gone to school in some other town, and your father and mother had moved. Of course, I know now; the messenger had been to your old house next door! He complained that all the win-dows were shut and the chimneys all blocked up. I was very glad indeed to get Priscilla's first letter, and your two nice letters, and useful lists and hints, since Christopher came back. I quite understand that School makes it difficult for you to write like you used. And of course I have new children coming on my lists each year so that I don't get less busy.

Tell your father I am sorry about his eyes and throat: I once had my eyes very bad from snow-blindness, which comes from looking at sunlit snow. But it got better. I hope Priscilla and your Mother and everyone else will be well on Dec. 25. I am afraid I have not had any time to draw you a picture this year. You see I strained my hand moving heavy boxes in the "sellers" (Ha ha this: you see I have read your letter in November), and could not start

my letters until later than usual, and my hand still gets tired quickly. But Ilbereth – one of the cleverest Elves who I took on as a secretary not long ago – is becoming very good. He can write several alphabets now – Arctic, Latin (that is ordinary European like yours), Greek, Russian, Runes, and of course Elvish. His writing is a bit thin and slanting – he has a very slender hand – and his drawing a bit scratchy, I think. He has done you what he calls a picture diary. I hope it will do. He won't use paints – he says he's a secretary and so only uses ink (and pencil). He is going to finish this letter for me as I have to do some others. So I will now send you lots of love, & I do hope that I have chosen the best things out of your suggestion lists. I was going to send 'Hobbits' – I am sending away loads (mostly second editions) which I sent for only a few days ago) – but I thought you would have lots, so I am sending another 'Oxford' fairy-story. Lots and Lots of Love. Father Christmas

· 1937 ·

Dear Children: I am Ilbereth. I have written to you before. I am finishing for Father Christmas. Shall I tell you about my pictures? Polar Bear and Valkotukka and Paksu are always lazy after Christmas, or rather after the St Stephen's Day party. F.C. is ringing for breakfast in vain. Another day when P.B., as usual, was late Paksu threw a bath-sponge full of icy water on his face. P.B. chased him all round the house and round the garden and then forgave him, because he had not caught Paksu, but had found a huge appetite. We had terrible weather at the end of winter and actually had rain. We could not go out for days. I have drawn P.B. and his nephews when they did venture out. Paksu and V. have never gone away. They like it so much that they have begged to stay. It was much too warm at the North Pole this year. A large lake formed at the bottom of the Cliff, and left the N. Pole standing on an island. I have drawn a view looking South, so the Cliff is on the other side. It was about midsummer. The NPB his nephews and lots of polarcubs used to come and bathe. Also seals. NPB took to trying to paddle a boat or canoe, but he fell in so often that the seals thought he liked it, and used to get under the boat and tip it up. That made him annoyed. The sport did not last long as the water froze again early in August. Then we began to begin to think of this Christmas. In my picture Fr Christmas is dividing up the lists and giving me my special lot – you are in it, that is why your numbers are on the board. NPB of course always pretends to be managing everything: that's why he is pointing, but I am really listening to F.C. and I am saluting him not NPB.

NOT TRUE

RUDE LITTLE ERRAND BOY

Briefe aufgehoben habt? Mir ist es nicht gelungen, alle Eure Briefe wiederzufinden, ein paar aus jedem Jahr habe ich aber.

Dieses Jahr haben wir einen ziemlichen Schreck bekommen: Von Euch kam kein Brief. Anfang Dezember habe ich einen Boten losgeschickt, der früher oft in Oxford vorbeigeschaut hat, aber schon lange nicht mehr dort war, und er hat gesagt: »Das Haus steht leer, und alles wurde verkauft.« Ich hatte Angst, es sei etwas passiert, oder dass Ihr alle in einer anderen Stadt zur Schule geht und Euer Vater und Eure Mutter umgezogen sind. Jetzt weiß ich natürlich Bescheid: Der Bote hat Eurem alten Haus nebenan einen Besuch abgestattet! Er hat sich beklagt, dass alle Fenster geschlossen und die Schornsteine verstopft seien.

Da war ich dann wirklich sehr froh, als ich den ersten Brief von Priscilla bekam, seit Christopher wieder da ist – und Eure beiden schönen Briefe, die nützlichen Wunschlisten und Hinweise. Ich kann durchaus verstehen, dass es für Euch während der Schulzeit schwer ist, so häufig zu schreiben wie früher. Und natürlich stehen jedes Jahr neue Kinder auf meiner Liste, so dass auch ich nicht weniger zu tun habe.

Richtet Eurem Vater aus, dass es mir leid tut wegen seiner Augen und wegen seines Halses: Ich war auch mal ganz furchtbar schneeblind, weil ich zu lang auf sonnenbeschienenen Schnee geschaut habe. Aber das hat sich wieder gelegt. Ich hoffe, dass es Priscilla und Deiner Mutter und allen anderen am 25. Dez. gutgeht. Leider habe ich in diesem Jahr keine Zeit gehabt, Euch ein Bild zu malen. Ich habe nämlich im November schwere Kisten im Keller hin und her gerückt und mir dabei die Hand gezerrt; so

konnte ich erst viel später als sonst ans Briefeschreiben gehen, und meine Hand wird immer noch sehr schnell müde. Aber Ilbereth, eines der geschicktesten Elbchen, ist jetzt mein Sekretär und macht sich sehr gut. Inzwischen beherrscht er mehrere Alphabete – Arktisch, Latein (die gewöhnlichen europäischen Buchstaben, wie Ihr sie verwendet), Griechisch, Russisch und natürlich Elbisch. Seine Schrift ist etwas zierlich und schräg – er hat äußerst schmale Hände –, und seine Zeichnungen sind ein wenig krakelig, finde ich. Er benutzt keine Farben – er sagt, als Sekretär verwende er nur Tinte (und Bleistift). Er wird diesen Brief für mich zu Ende schreiben, denn ich muss noch andere Post erledigen.

Also grüße ich Euch jetzt ganz herzlich, und ich hoffe sehr, dass ich die besten Sachen von Euren Wunschlisten ausgesucht habe. Ich wollte Euch ›Hobbits‹ schicken – die verschicke ich zuhauf (größtenteils die zweite Auflage, die ich erst vor wenigen Tagen bestellt habe) –, aber davon habt Ihr vermutlich bereits eine Menge, also schicke ich Euch ein weiteres Oxfordmärchen.

Alles alles Liebe – Euer Weihnachtsmann

Liebe Kinder:

ich bin Ilbereth. Ich habe Euch schon einmal geschrieben. Ich schreibe den Brief für den Weihnachtsmann zu Ende. Soll ich Euch zu meinen Bildern etwas erzählen? Also: Polarbär und Valkotukka und Paksu sind nach Weihnachten, oder vielmehr nach der Party am Stephanstag, immer rechte Faulpelze. Der Weihnachtsmann läutet zum Frühstück, aber vergebens. Ein andermal, als Polarbär wie gewöhnlich nicht rechtzeitig aufstehen wollte,

Gelogen!

A diary of 1936 to 1937 by Ilbereth
Nobody wants breakfast after Christmas. NPB. P. and V are tired 1936. (and full).
A sponge is useful for waking up N.P.B. but makes him angry.
Late Spring 1937. Thaw and rain. Going for a nice walk to find a lost appetite.
560723
560784
Midsummer. Great hole appears in ice. Seals come out. NPB takes to boating.
Beginning to think of next Christmas. Ilbereth getting orders from F.C.
Celebrating the Coming of Winter. Bonfire party and Fireworks.
Tobogganing down from Cliff House. Snowboys have a good time
Today. Dec. 23rd. NPB busy with the tree – before the disaster
Tomorrow. Starting with the first load.
A Merry Christmas 1937
F.C.

hat ihm Paksu einen mit Eiswasser getränkten Badeschwamm ins Gesicht geworfen. Polarbär jagte ihn daraufhin um das ganze Haus und im Garten herum, war ihm dann aber wieder gut, weil er zwar nicht Paksu erwischt, dafür aber einen Riesenhunger bekommen hatte.

Es war in diesem Jahr viel zu warm am Nordpol. Unten am Felsen hat sich ein großer See gebildet, so dass die Nordpolspitze jetzt auf einer Insel steht. Ich habe sie gezeichnet, aber mit Blick nach Süden, deshalb ist die Felswand auf der anderen Seite. Das war etwa um die Mittsommerzeit. Der Nordpolarbär, seine Neffen und viele andere Polarbärenkinder sind zum Baden gekommen. Nordpolarbär wollte sich durchaus mit einem Boot oder Kanu im Rudern versuchen, aber er ist dabei so oft ins Wasser gefallen, dass die Seehunde meinten, er mache das zum Spass, und immer wieder unter das Boot schwammen und es umkippten. Das hat ihn ziemlich geärgert.

Der Spass dauerte nicht lang, denn Anfang August fror das Wasser bereits wieder zu. Da mussten wir auch schon allmählich anfangen, an Weihnachten zu denken. Auf meinem Bild verteilt der Weihnachtsmann gerade die verschiedenen Listen und gibt mir meine – da steht Ihr auch drauf.

Nordpolarbär tut natürlich immer so, als ob er für alles die Verantwortung hat, deshalb deutet er auf die Zahlen; aber ich höre in Wirklichkeit nur dem Weihnachtsmann zu, und meine Ehrenbezeigung gilt ihm, nicht Nordpolarbär.

Unverschämter kleiner Laufbursche.

Den Winteranfang und den Beginn der eigentlichen »Vorbereitungen« haben wir mit einem großen Feuer und einem herrlichen Feuerwerk gefeiert. Im November fiel ganz dichter Schnee, da bekamen die Elbchen und die Schneebuben ein paar halbe Tage zum Rodeln frei. Die Polarbärenkinder konnten es nicht so recht, sie fielen immer vom Schlitten, und die meisten rollten oder rutschten dann lieber auf dem eigenen Pelz hinunter. Heute ist

AND BETTER!

We had a glorious bonfire and fireworks to celebrate the Coming of Winter and the beginning of real 'Preparations'. The Snow came down very thick in November and the elves and snowboys had several tobogganing-half-holidays. The polar cubs were not good at it. They fell off, and most of them took to rolling or sliding down just on themselves. Today ——— but this is the best bit. I had just finished my picture, or I might have drawn it differently. P.B. was being allowed to decorate a big tree in the garden, all by himself and a ladder. Suddenly we heard terrible growly-squealy noises. We rushed out to find P.B. hanging in the tree himself! 'You are not a decoration' said F.C. 'Anyway I am alight' he shouted. He was. We threw a bucket of water over him. Which spoilt a lot of the decorations, but saved his fur. The silly old thing had rested the ladder against a branch (instead of the trunk of the tree). Then he thought, 'I will just light the candles to see if they are working' although he was told not to. So he climbed to the top of the ladder with a taper. Just then the branch cracked, the ladder slipped on the snow, and P.B. fell into the tree and caught on some wire; and his fur got caught on fire. Luckily he was rather damp or he might have fizzled. I wonder if roast Polar is good to eat? The last picture is imaginary and not very good. But I hope it will come true. It will if P.B. behaves. I hope you can read my writing. I try to write like dear old F.C (without the trembles), but I cannot do so well. I can write Elvish better. [Elvish script] that's some — but F.C. says I write even that too spidery and you would never read it: it says A very merry Christmas to you all. Love Ilbereth

NEITHER

POOR JOKE

← NOT AS GOOD AS WELL SPANKED AND FRIED ELF

[Runes] That is Runick. NPB A big hug and lots of love. Enormous thanks for letters. I don't get many, though I work so hard. I am practising new writing with lovely thick pen. Quicker than Arctick. I invented it. ILBERETH IS CHEEKY. HOW ARE THE BINGOS? A MERRY CHRISTMAS N.P.B

Vaksu's nose → mark

das Tollste passiert – ich hatte mein Bild schon fertig, sonst hätte ich es anders gezeichnet.

Und besser!

Polarbär durfte im Garten den großen Baum schmücken, ganz allein, nur mit einer Leiter. Auf einmal hörten wir ein schreckliches Knurren und Kreischen. Wir sausten hinaus und sahen: Hoch oben im Baum hing Polarbär selber!

»Du bist aber kein Christbaumschmuck«, sagte der Weihnachtsmann.

»Aber ich brenne doch!« schrie Polarbär.

Tatsächlich, er brannte. Der alte Dummkopf hatte die Leiter an einen Ast gelehnt (statt gegen den Baumstamm). Dann hat er wohl gedacht: »Ich will doch mal eben die Kerzen anzünden und sehen, ob sie auch ordentlich brennen« – obwohl ihm das ausdrücklich verboten worden war. Er stieg also mit dem brennenden Kerzenanzünder auf die oberste Sprosse der Leiter. In diesem Augenblick brach der Ast, die Leiter rutschte auf dem Schnee weg, Polarbär fiel in den Baum, blieb an irgend einem Stück Draht hängen, und sein Pelz fing Feuer.

Schlechter Witz.

Zum Glück war der ziemlich feucht, sonst hätte er ganz schön gebrutzelt. Ob Polarbärenbraten wohl gut schmeckt?

Nicht so gut wie ordentlich durchgeprügeltes und gebratenes Elbchen.

Das letzte Bild ist bloß erfunden und nicht besonders gut. Aber wenn Polarbär nicht wieder etwas anstellt, wird es sicher noch wahr. Hoffentlich könnt Ihr meine Schrift lesen. Ich gebe mir Mühe, so zu schreiben wie unser lieber Weihnachtsmann (nur ohne das Zittern), aber ganz so schön gelingt es mir nicht. In Elbenschrift kann ich es besser:

So sieht das dann aus – aber der Weihnachtsmann sagt, ich würde die Elbenschrift viel zu zierlich schreiben, und Ihr könntet sie ja gar nicht lesen.

Herzlichst – Ilbereth

Ich drücke Euch ganz fest und grüße Euch herzlich. Riesigen Dank für die Briefe. Ich bekomme nicht viele, obwol ich so schwer arbeite. Ich übe eine neue Schrift mit einer dicken Feder. Geht schneller als Arktisch. Habe ich selbst erfunden.

Ilbereth ist ein frecher Kerl. Wie gehd es den Bingos? Fröhliche Weihnachten. Nordpolarbär.

1938

Klippenhaus
Nordpol
Weihnachen 1938

Meine liebe Priscilla und all die anderen bei Dir zu Hause,

hier sind wir wieder! Du lieber Himmel, das habe ich wohl schon einmal gesagt – aber schließlich wollt Ihr nicht, dass Weihnachten in jedem Jahr anders ist, nicht wahr?

Es tut mir furchtbar leid, dass ich dieses Jahr keine Zeit hatte, größere Bilder zu malen, und auch Ilbereth (mein Sekretär) hat es nicht geschafft. Statt dessen schicken wir Euch ein paar Reime. Einige meiner anderen Kinder scheinen Reime zu mögen, und Ihr vielleicht ja auch.

Das mit Christopher hat uns allen sehr leid getan. Ich hoffe, es geht ihm wieder gut und er verbringt fröhliche Weihnachten. Ich habe es erst vor kurzem erfahren, als meine Boten und Briefeinsammler aus Oxford zurückgekehrt sind. Bitte richte ihm aus, er soll nur recht vergnügt sein – und obwohl er langsam erwachsen wird und Strümpfe nicht mehr seine Sache sind, werde ich ihm dieses Jahr etwas mitbringen. Dabei ist ein kleines Astronomiebuch, in dem man nachlesen kann, wie man ein Fernrohr benutzt – vielen Dank für den Hinweis, dass er ein gutes besitzt. Meine Güte! Meine Hand ist ganz zittrig – hoffentlich kannst du das lesen.

Cliff House
North Pole
Christmas 1938.

My dear Priscilla and all others at your house. Here we are again! Bless me, I believe I said that before — but after all you don't want Christmas to be different each year, do you? I am frightfully sorry that I haven't had the time to draw any big picture this year, and Ilbereth (my secretary) has not done one either; but we are all sending you some rhymes instead. Some of my other children seem to like rhymes, so perhaps you will.

We have all been very sorry to hear about Christopher. I hope he is better & will have a jolly Christmas. I only heard lately when my messengers & letter-collectors came back from Oxford. Tell him to cheer up — and although he is now growing up & leaving stockings behind, I shall bring a few things along this year. Among them is a small astronomy book which gives a few hints on the use of telescopes — thank you for telling me he had got one. Dear me! my hand is shaky — I hope you can read some of this?

I loved your long letter, with all the amusing pictures. Give my love to your Bingos and all the other sixty (or more?), especially Raggles and Fraddles and Tinker and Tailor and Jubilee and Snowball. I hope you will go on writing to me for a long while yet.

Very much love to you — and lots for Chris — from

Father Christmas

PTO

Dein langer Brief hat mich sehr gefreut, vor allem die vielen lustigen Bilder. Grüße deine Bingos ganz herzlich und all die anderen (sechzig oder mehr!), besonders Raggles und Preddley und Tinker und Tailor und Jubilee und Snowball. Ich hoffe, Du wirst mir noch lange schreiben.

Ganz liebe Grüße – auch an Chris – von

Eurem Weihnachtsmann

Auch dieses Jahr, beste Priscilla,
wenn du nachts träumst (in deiner Villa),

Gezwungener Reim!
Fängt ja gut an!

tritt an dein Bett der Weihnachtsmann,
der vieles weiß und vieles kann,
der allerdings ganz im Geheimen
gestehn muss: er kann nicht gut reimen.
Ich tät's so schön und kunstgerecht,
doch reimen sich so schrecklich schlecht
die Namen von euch Jungs und Mädels
(nun reimt sich bloß: des alten Schädels
Gehirn gerät in starken Schweiß –
dem Weihnachtsmann, der reimt, wird's heiß).
Also verzeih mir, mein Priscillchen,
sind meine Reime saure Pillchen.

Wird sie kaum.

Also, wie gesagt –

ich trete nächtens an dein Bettchen
leis wie ein Mäuschen oder Frettchen — Na? Wm
und fülle deinen Weihnachtsstrumpf,

Nicht zu glauben! PB

der allerdings von solch Triumph=
Ausmaßen ist, dass ich fast meine:
Die Socke ist dem Papa seine.

Hier musste ich aushelfen. Ilbereth

Dein alter Freund, der darauf zählt,
dass das, was er dir ausgewählt,

Ich war das.

dir gut gefällt! Bist schon halb zehn –

Das Kind ist keine Uhr!

magst trotzdem dich dazu verstehen,
mit Grußgedanken zu beehren
den Weihnachtsmann und seinen Bären,
den großen weißen (und die kleinen
Eisbären mit den Stolperbeinen),
die Weihnachtselben und, jawohl,
den ganzen Hausstand hier am Pol.

Kleckse von P. und V.

Auf meiner Liste vom Advent,
die alle die Adressen nennt,
bist du jetzt sechsundfünfzigtau- **Peinlich!**
sendhundertacht. Man merkt genau,
ich habe furchtbar viel zu tun
und darf bei Tag und Nacht nicht ruhn,
seit letztem Jahr hab ich alleine
zehntausend neue Mädchen (kleine),
auch nach dem Abzug der Adressen
der bösen – „dieses Jahr vergessen!"–
gestrichenen Kinder. – Was gibt's Neues?
fragst du. Geht's gut? Je nun, ich scheu es
jetzt fast, die Chronik aller Taten
am Nordpol, alles was geraten
und was danebenging, zu schreiben …
Nun, um bei unserem Bären zu bleiben,
der hat sich schon gewisse Dinge
geleistet: trat auf eine Klinge **Unsinn! Bloß wegen**
und ging an Krücken im November. **dem Reim!**
Dann eines Tages im Dezember

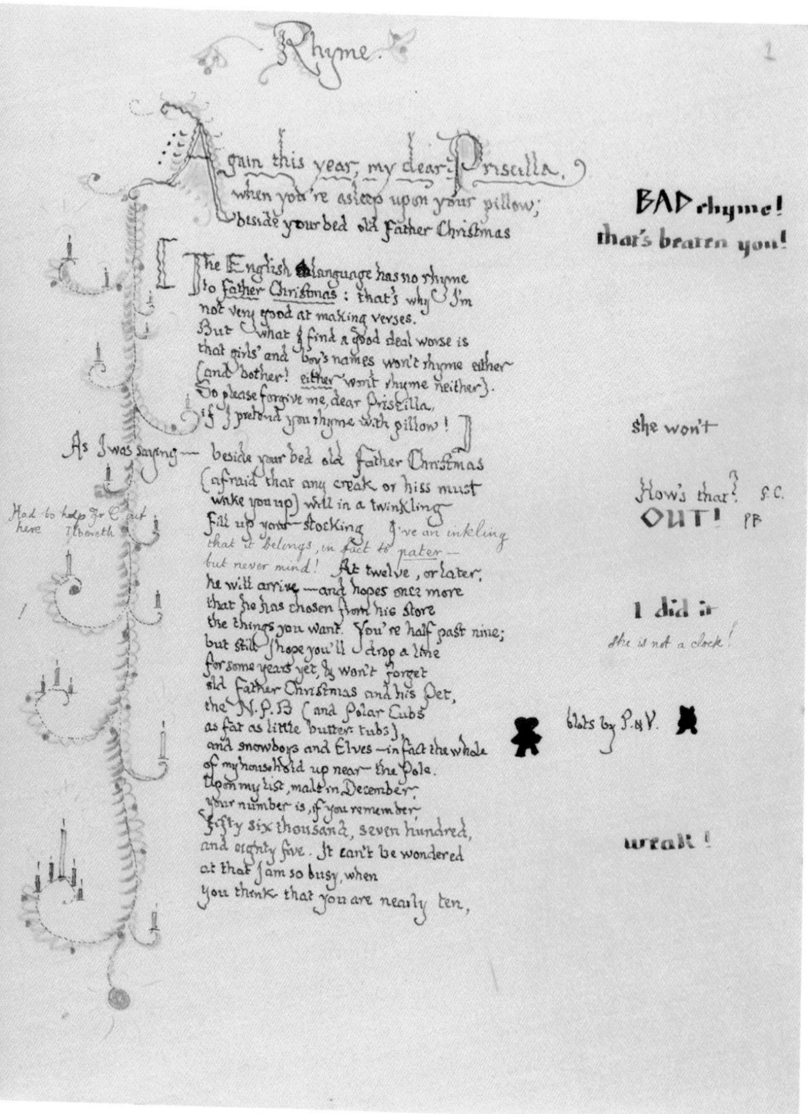

Rhyme. 1

Again this year, my dear Priscilla,
when you're asleep upon your pillow;
beside your bed old Father Christmas

[The English language has no rhyme
to Father Christmas: that's why I'm
not very good at making verses.
But what I find a good deal worse is
that girls' and boy's names won't rhyme either
(and bother! either won't rhyme neither).
So please forgive me, dear Priscilla,
if I pretend you rhyme with pillow!]

As I was saying — beside your bed old Father Christmas
(afraid that any creak or hiss must
wake you up) will in a twinkling
fill up your stocking. I've an inkling
that it belongs, in fact to pater —
but never mind! At twelve, or later,
he will arrive — and hopes once more
that he has chosen from his store
the things you want. You're half past nine;
but still I hope you'll drop a line
for some years yet, & won't forget
old Father Christmas and his Pet,
the N.P.B (and Polar Cubs
as fat as little butter-tubs),
and snowboys and Elves — in fact the whole
of my household up near the Pole.
Upon my list, made in December,
your number is, if you remember,
fifty six thousand, seven hundred,
and eighty five. It can't be wondered
at that I am so busy, when
you think that you are nearly ten,

Had to help Fr C. out here Ilbereth

!

BAD rhyme! that's beaten you!

she won't

How's that? F.C.

OUT! PB

I did it

She is not a clock!

blots by P. & V.

weak!

2

and in that time my list has grown
by quite ten thousand girls alone,
even when I've subtracted all
the houses where I no longer call!

You all will wonder what's the news;
if all has gone well, and if not who's
to blame; and whether Polar Bear
has earned a mark good, bad, or fair
for his behaviour since last winter.
Well – first he trod upon a splinter,
and went on crutches in November;
and then one cold day in December
he burnt his nose & singed his paws
upon the kitchen grate, because
without the help of tongs he tried
to roast hot chestnuts. 'Wow!' he cried,
and used a pound of butter (best)
to cure the burns. He would not rest,
but on the twenty-third he went
and climbed up on the roof. He meant
to clear the snow away that choked
his chimney up – of course he poked
his legs right through the tiles, & snow
in tons fell on his bed below.
He has broken saucers, cups, and plates;
and eaten lots of chocolates;
he's dropped large boxes on my toes,
and trodden tin-soldiers flat in rows;
he's over-wound engines and broken springs,
& mixed up different children's things;
he's thumbed new books and burst balloons
& scribbled lots of smudgy Runes
on my best paper, and wiped his feet
on scarves and hankies folded neat —
And yet he has been, on the whole,
a very kind and willing soul.
He's fetched and carried, counted, packed,
and for a week has never slacked:
he's climbed the cellar-stairs at least
five thousand times – the Dear Old Beast!

just rhiming nonsens: it was a nail – rusty too

I never did!

I WAS NOT GIVEN A CHANCE

you need not believe all this!

here hear!

Ein Nagel war das,
ein rosstiger übrigens.

hat er die Schnauze und die Pfoten
sich bös verbrannt, weil er (verboten!)
Kastanien briet, naives Ti=er,
ganz ohne Gabel. „Aua!" schrie er,

Niemals!

rieb sich mit Butter das wunde Gesicht
(der besten!) ein – später ruhte er nicht

Man LIESS mir
keine Ruhe.

und stieg hinauf auf des Daches Sparren
um den Schnee dort aus dem Kamin zu scharren:
So stapfte er droben herum, und endlich
zerbrach das Dach (eigentlich selbstverständlich) –
und prompt fiel jede Menge Schnee
ihm unten auf sein Kanapee.
Zerdeppern tat er Teller, Tassen
(Bonbons fraß er dafür in Massen).
Er bog an Püppchen und Trompeten,
hat Zinnsoldaten plattgetreten,
bei der Eisenbahn hat er
die Feder geknickt,
fast die Skis an das falsche Kind verschickt.

Das solltest Du nicht
alles glauben!

Doch, solltest Du!

Und dann die Pfotenspuren in Büchern,
an Schals und an weißen Taschentüchern!
Er tat auch gerne mit Runenkrakeln
mein Briefpapier, mein gutes, bemakeln.
Und doch, das stimmt gewiss, ist er
ein fleißiger und treuer Bär,
trägt Päckchen nörd-, öst-, west- und südlich
und trabt und trottet unermüdlich

Hört hört!
Jetzt kritzelt er auch noch was
auf meinen allerliebsten Reim!

über die Treppe zur Kellerhöhle,
die gute alte Bärenseele.

Paksu, Valkotukka, die Bärenneffen
– ja, die sind noch immer hier anzutreffen,
sie grüßen, die Füchse, zu dir hinüber,
sie werden langsam ein wenig klüger.

Das KOBOLD-Pack – das wird dich freuen –
tut neuerdings den Nordpol scheuen
und war ein Jahr lang nicht zu sehen.
Sie sollen zwar, heißt es, nach Süden gehen,
wo sie sich wieder betätigen wollen:
sie graben Höhlen und Schächte und Stollen.
Doch keine Angst! Die arge Bande
versteckt sich rasch, wenn ich dort lande.

SETTING OUT

Weihnachtstag

Die Weihnacht ist da (ich grüße von Herzen),
der arme Polarbär hat Magenschmerzen.
Ihm ist ein besonderes Stückchen gelungen,
er hat pfundweise Nüsse samt Schalen verschlungen,
eine typisch polarische Aktivität,
kein Wunder, dass es ihm merkwürdig geht.
Er hat eine Tonne diverse Leckereien gefressen
und sich dabei wirklich vollkommen vergessen:
Sirup mit Speck und Marmelade mit Knochen
und Truthahn mit Schoko. Es dauert wohl Wochen,
bis der Bär wieder stehen kann nach diesen Geschichtchen …
Ach ja, ich vergaß ganz sein Lieblingsgerichtchen:
Plumpudding mit Würstchen und türkischem Honig,
mit extra viel Sahne verschlungen (»wonnig«) –
und dann steht der Bär Kopf, bis sein Kürbis ganz rot ist,
es ist schon erstaunlich, dass er noch nicht tot ist.

Alberner Blödsinn!
Jeder weiß: Ich bin
Total gesund innen drin.
Ich verschmähe Nüsse,
Fleisch- und Truhthangenüsse,
ich halt mich ans Süße.
Deshalb bin ich
(bekanntlich)
so süß auch selbst.

Unhöflicher Patron!

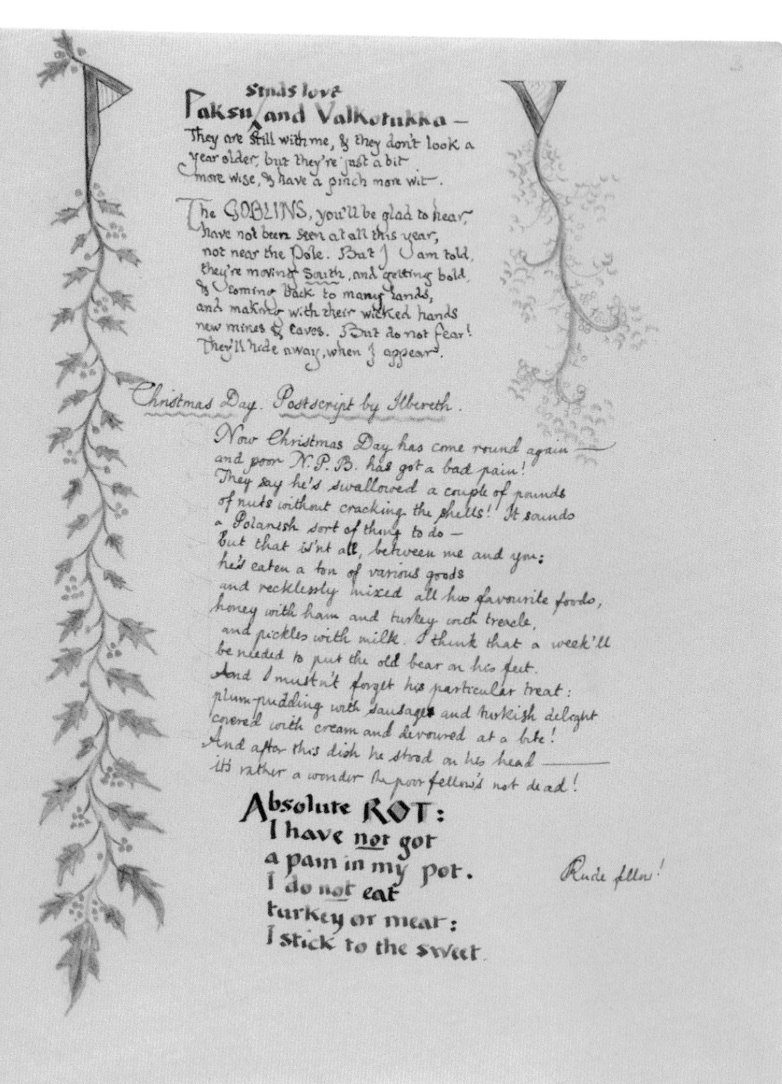

Paksu and Valkotukka — sends love
They are still with me, & they don't look a
year older, but they're just a bit
more wise, & have a pinch more wit.

The GOBLINS, you'll be glad to hear,
have not been seen at all this year,
not near the Pole. But I am told,
they're moving South, and getting bold,
& coming back to many lands,
and making with their wicked hands
new mines & caves. But do not fear!
They'll hide away, when I appear.

Christmas Day. Postscript by Ilbereth.

Now Christmas Day has come round again —
and poor N.P.B. has got a bad pain!
They say he's swallowed a couple of pounds
of nuts without cracking the shells! It sounds
a Polarish sort of thing to do —
but that isn't all, between me and you:
he's eaten a ton of various goods
and recklessly mixed all his favourite foods,
honey with ham and turkey with treacle,
and pickles with milk. I think that a week'll
be needed to put the old bear on his feet.
And I mustn't forget his particular treat:
plum-pudding with sausages and turkish delight
covered with cream and devoured at a bite!
And after this dish he stood on his head ——
it's rather a wonder the poor fellow's not dead!

Absolute ROT:
I have not got
a pain in my pot.
I do not eat
turkey or meat:
I stick to the sweet.

Rude fellow!

4

Which is why
(as all know) I
am so sweet myself,
you thinuous elf!
Goodby!

He means ~~fatuous~~

no I don't you're
not fat but
thin and silly.

You know my friends too well to think
~~that~~ (al-though they're rather rude with ink)
that there are really quarrels here!
We've had a very jolly year
(except for P.B.'s rusty nail);
but now this rhyme must catch the Mail –
a special messenger must go,
in spite of thickly falling snow,
or else this won't get down to you
on Christmas day. It's half past two!
We've quite a ton of crackers still
to pull, and glasses still to fill!
Our love to you on this Noel –
and till the next one, fare you well!

Father Christmas.

P. B.

Ilbereth.

P. V

Du düntatorischer Elf. *Er meint diktatorisch*

Beste Grüße! **Nein, weil dick bist du ja nicht – du bist dünn und albern.**

Du kennst die beiden ja! Du weisst,
wenn man sich grobe Dinge heißt,
gibt es hier trotzdem keinen Streit!
Das Jahr war sehr angenehm soweit
(von rostigen Nägeln abgesehen).
Jetzt muss der Brief auf die Reise gehen,
eilzugestellt an deinen Ort!
Trotz dichtestem Schneefall muss er fort,
sonst kommt die Post nicht mehr bei dir vorbei
am Weihnachtstag. Es ist schon halb drei!
Doch hier will die Feier noch lange nicht schließen.
Wir knacken die Knallbonbons und gießen,
um anzustoßen, die Gläser voll.
Und dir jetzt ein herzliches Lebewohl!

Der Weihnachtsmann

Polarbär

Ilbereth

Paksu und Valkotukka

Meine liebste P.,

das ist mein allerletztes Beatrix-Potter-Malbuch. Ich glaube, sie stellen es nicht mehr her. Ich schicke es Dir mit herzlichem Gruß.

Dein Weihnachtsmann

Zweiter Weihnachtsfeiertag 1938 – heute, am Stephanstag, habe ich das gerade gefunden – ich hatte den Brief gar nicht abgeschickt. Sehr ärgerlich. Tut mir sehr leid. Aber vielleicht ist es auch schön, nach Weihnachten etwas zu kriegen?

Bin nicht schuld! Polarb. *Ich auch nicht! Ilbereth*

Der Weihnachtsmann hat die Sachen auf dem Schreibtisch unterm Einwickelpapier liegenlassen

My dear P.

This is the *last* Beatrix Potter painting book I have got. I don't believe they are making any more. I am sending it to you with love.

FC.

Boxing Day 1938 On the Feast of St. Stephen

I have just found it – *and* the letter – Never sent off! Most annoying. Very sorry. But perhaps something *after* Christmas will be rather nice?

not my fault! PB Nor mine! Ib.

K left them on his desk covered with wrapping paper

1939

Klippenhaus
NORDPOL
24. Dezember 1939

Meine liebe Priscilla,

es hat mich sehr gefreut, dass Du Zeit für zwei Briefe gefunden hast, obwohl Du viel zu tun hattest. Ich wünsche Deiner Bingo-Familie ein fröhliches Weihnachtsfest – hoffentlich benehmen sich alle. Richte Billy (heißt so nicht der Vater?) aus, er soll nicht so unwirsch sein. Sie sollen sich nicht um die Knallbonbons streiten, die ich ihnen schicke.

Ich habe eine Menge zu tun, und wegen dem schrecklichen Krieg ist dieses Jahr alles sehr schwierig. Viele meiner Boten sind nicht zurückgekehrt. Mein Bild ist dieses Jahr auch nicht so arg schön. Es soll mich zeigen, wie ich Geschenke den neuen Pfad entlang zu den Schlittenschuppen trage. Vorneweg läuft Paksu mit einer Fackel, und er sieht (wie immer) furchtbar selbstzufrieden aus. Hinter mir kannst Du einen Blick auf Polarbär erhaschen (das reicht schon). Er trägt natürlich nichts.

Cliff House
North Pole
December 24th 1939

My dear Priscilla

I am glad you managed to send me two letters although you have been rather busy working. I hope your Bingo family will have a jolly Christmas, & behave themselves. Tell Billy — is not that the father's name? — not to be so cross. They are not to quarrel over the crackers I am sending.

I am afraid there is no Basil coming. I have not got any small Bingos left! But I am sending a lovely clean aunt GILLY (which is short for Juliana) who will keep Milly in order I hope, or take her place if she does not improve. I hope all the other things are what you want.

I am very busy and things are very difficult this year owing to this horrible war. Many of my messengers have never come back. I haven't been able to do you a very nice picture this year. It's supposed to show me carrying things down our new path to the sleigh-sheds

Wir haben keine Abenteuer erlebt und auch nichts Lustiges – was daran liegt, dass Polarbär mir dieses Jahr fast nicht »geholfen« hat, wie er es nennt.

Quatsch!

Ich glaube nicht, dass er fauler ist als sonst, ihm geht es einfach nicht gut. Letzten November hat er Fisch gegessen, der ihm nicht bekommen ist, und er hatte schon Angst, dass er nach Grönland ins Krankenhaus muss. Aber nachdem er vierzehn Tage lang nur warmes Wasser getrunken hat, warf er plötzlich das Glas und den Krug zum Fenster hinaus und beschloss, gesund zu werden.

Er hat die Bäume auf diesem Bild gemalt, sie sind leider nicht besonders gelungen.

Paksu is in front with a torch looking most frightfully pleased with himself (as usual). There is just a glimpse (quite enough) of P.B. strolling along behind. He is of course carrying nothing.

! ROT ↑ There have been no adventures here, and nothing funny has happened — and that is because P.B. has ~~not~~ done hardly anything "to help", as he calls it, this year. I don't think he has been lazier than usual, but he has been not at all well. He ate some fish that disagreed with him last November, and I was afraid he might have to go to hospital in Greenland. But after living only on warm water for a fortnight he suddenly threw the glass and jug out of the window and decided to get better.

BEST ↑ PART OF IT He drew the trees in the picture, & I am afraid they are not very good. They look more like umbrellas! Still he sends love to you and all your bears. "Why don't you have Polar Cubs instead of Bingos & Koalas?" he says.

Give my love to Christopher and Michael and to John when you next write.

LOVE

from

Father Christmas

WHY NOT? PB

Christmas
1939
MCMXXXIX
Love to Priscilla
from Father Christmas
FC

Sie sind das Beste daran.

Sie sehen eher wie Regenschirme aus! Jedenfalls lässt er Dich und all Deine Bären herzlich grüßen. »Warum hast Du keine Polarbären statt Bingos und Koalas?«, will er wissen.

Ja, warum nicht?

Ganz herzliche Grüße an Christopher und Michael und an John, wenn Du das nächste Mal schreibst.

Alles Liebe – Dein Weihnachtsmann

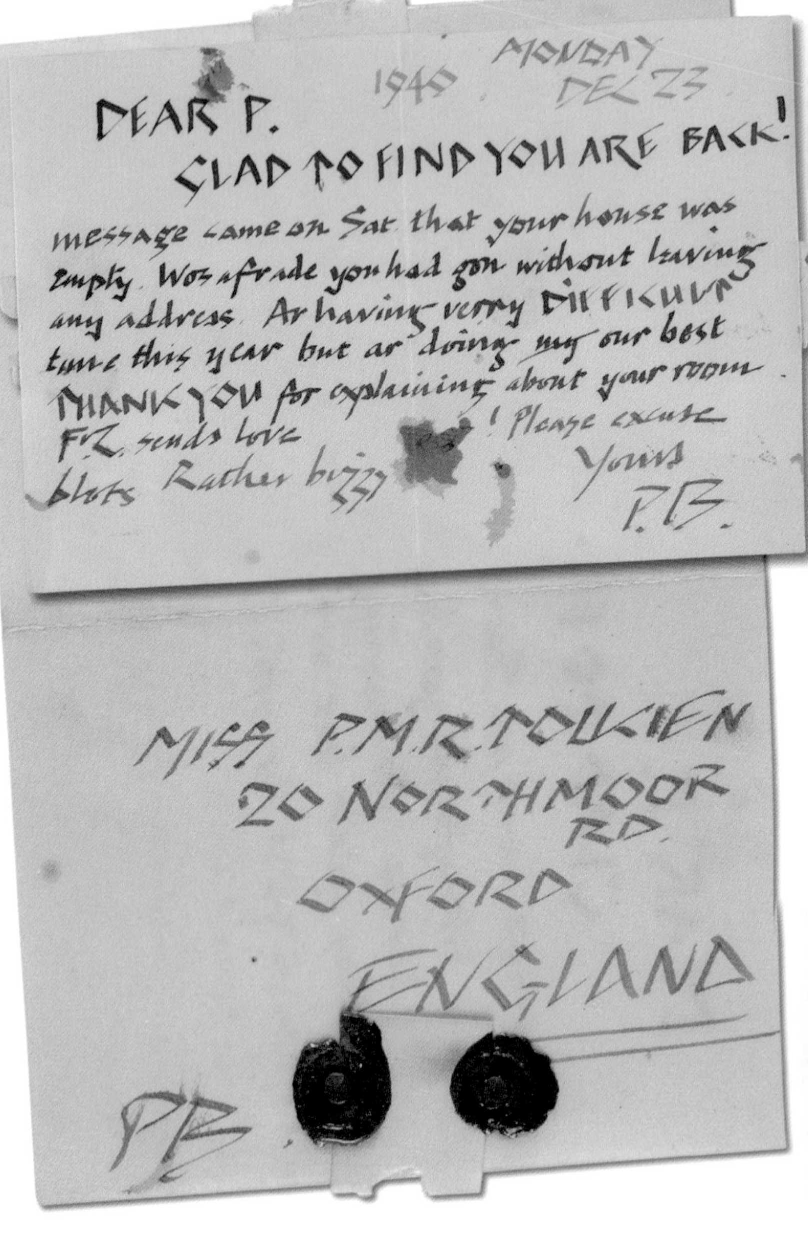

1940 MONDAY DEC 23

DEAR P.

GLAD TO FIND YOU ARE BACK!

message came on Sat that your house was empty. Was afrade you had gon without leaving any address. Ar having verry DIFFICULT time this year but ar doing my our best THANK YOU for explaining about your room. F.C. sends love! Please excuse blots Rather bizzy

Yours
P.B.

MISS P.M.R. TOLKIEN
20 NORTHMOOR RD.
OXFORD
ENGLAND

PB

1940

23. Dezember 1940

Liebe Priscilla,

schön, dass Du wieder da bist! Am Samstag kam eine Botschaft, Euer Haus stünde leer. Hatte schon bevürchtet, Du wärst verschwunden, ohne eine Adresse zu hinterlassen.

Dieses Jahr ist hier alles ziemlich SCHWIERIG, aber ich/wir tun ~~mein~~/unser bestes.

VIELEN DANK, dass Du mir Dein Zimmer beschrieben hast. Der Weihnachtsmann lässt herzlich grüßen! Bidde entschuldige die Kleckse. Viel zu tun.

Dein Polarbär

Klippenhaus
Beim Nordpol
Heiligabend 1940

Meine liebste Priscilla,

ein kurzer Brief nur, um Dir fröhliche Weihnachten zu wünschen. Bitte grüße Christopher ganz herzlich. Wir haben eine schwierige Zeit zu überstehen in diesem Jahr. Wegen dem entsetzlichen Krieg gehen uns bald die Geschenke aus, und in vielen Ländern leben die Kinder

Cliff House
near N. Pole
Christmas Eve
1940

My Dearest Priscilla,

Just a short letter to wish you a very happy Christmas. Please give my love to Christopher. We are having rather a difficult time this year. This horrible war is reducing all our stocks, and in so many countries children are living far from their homes. P.B. has had a very busy time trying to get our address-lists corrected. I am glad you are still at home! I wonder what you will think of my picture. "Penguins don't live at the North Pole" you will say. I know they don't, but we have got some all the same. What you would call "evacuees", I believe (not a very nice word); except that they did not come here to escape the war, but to find it! They had heard such stories of the happenings up in the NORTH (including a quite untrue story that P.B. and all the Polar Cubs had been blown up, and that I had been captured by Goblins) that they swam all the way here to see if they could help me. Nearly 50 arrived. This is a picture of P.B. dancing with their chiefs. They amuse us enormously: they don't really help much, but are always playing funny dancing games, and trying to imitate the walk of P.B. and the Cubs.

weit weg von ihrer Heimat. Polarbär hatte alle Hände voll zu tun, unsere Adresslisten auf dem neusten Stand zu halten. Ich bin froh, dass Du immer noch zu Hause bist!

Wie findest Du mein Bild? »Am Nordpol gibt es gar keine Pinguine«, wirst Du sagen. Das weiß ich schon, aber hier gibt es trotzdem welche. Ihr würdet sie, glaube ich, »Flüchtlinge« nennen (kein besonders schönes Wort); allerdings sind sie nicht hierhergekommen, um vor dem Krieg wegzulaufen, sondern um sich ihm zu stellen! Über die Ereignisse im Norden haben sie solche Geschichten gehört (darunter eine völlig unwahre Geschichte, der Polarbär und alle Bärenkinder seien in die Luft geflogen, und ich sei von Kobolden gefangen worden), dass sie den ganzen weiten Weg hierhergeschwommen sind, um uns zu helfen. Fast 50 Pinguine!

Auf dem Bild siehst Du Polarbär, wie er mit ihren Anführern tanzt. Sie machen uns eine Menge Spaß: Sie sind keine große Hilfe, aber sie spielen und tanzen die ganze Zeit und versuchen so zu laufen wie Polarbär und die Bärenkinder.

Dein Weihnachtsmann

P.B. and all the Cubs are very well. They have really been very good this year & have hardly had time to get into any mischief.

I hope you will find most of the things that you wanted. But I am very sorry that I have no 'Cats Tongues' left. I have sent nearly all the books you asked for. I could not get the pamphlets in time. Perhaps your father could get them for you? All the same I hope your stocking will seem full!

VERY MUCH LOVE FROM YOUR
OLD FRIEND

·Father Christmas·

1941

Klippenhaus
Beim (abgebrochenen) Nordpol
22. Dezember 1941

Meine liebste Priscilla,

ich freue mich sehr, dass Du auch in diesem Jahr nicht vergessen hast, mir zu schreiben. Die Zahl der Kinder, die mit mir Verbindung halten, scheint immer kleiner zu werden. Höchstwahrscheinlich liegt das nur an diesem schrecklichen Krieg und wird wieder anders werden, wenn er vorbei ist; dann werde ich wieder so viel zu tun haben wie eh und je. Aber zur Zeit haben so furchtbar viele Menschen ihr Zuhause verloren oder es verlassen; anscheinend ist die halbe Welt nicht mehr am richtigen Platz.

Und sogar wir hier oben haben Schwierigkeiten gehabt. Damit meine ich nicht nur meine Vorräte; die werden sowieso immer weniger. Schon voriges Jahr wurden sie knapp, und es war mir nicht möglich, sie wieder aufzustocken, so dass ich jetzt nur das schicken kann, was ich habe, und nicht das, was auf den Wunschzetteln steht. Aber es kommt noch schlimmer.

Du weisst sicher noch, dass wir vor ein paar Jahren Ärger mit den Kobolden hatten und dass wir danach glaubten, wir seien sie endgültig los. Nun, diesen Herbst ist die Plage wieder ausgebrochen, und zwar schlimmer als seit Jahrhun-

Cliff House
near (stump of) N. Pole
December 22nd 1941.

My Dearest Priscilla

I am so glad you did not forget to write to me again this year. The number of children who keep up with me seems to be getting smaller. I expect it is because of this horrible war, and that when it is over things will improve again, and I shall be as busy as ever. But at present so terribly many people have lost their homes, or have left them: half the world seems in the wrong place! And even up here we have been having troubles. I don't mean only with my stores: of course they are getting low. They were already last year and I have not been able to fill them up, so that I have now to send what I can instead of what is asked for. But worse than that has happened. I expect you remember that some years ago we had trouble with the Goblins; and we thought we had settled it. Well it broke out again this autumn worse than it has been for centuries. We have had several battles, and for a while my house was besieged. In November it began to look likely that it would be captured and all my goods, and that Christmas Stockings would all remain empty all over the world. Would not that have been a calamity? It has not happened — and that is largely due to the efforts of P.B. — but it was not until the beginning of this month that I was able to

N.B THAT'S MEE!

send out any messengers! I expect the Goblins thought that with so much war going on this was a fine chance to recapture the North. They must have been preparing for some years; and they made a huge new tunnel which had an outlet many miles away. It was early in October that they suddenly came out in thousands. P.B. says there were at least a million, but that is his favourite big number. Anyway he was still fast asleep at the time, and I was rather!! drowsy myself; the weather was rather warm for the time of the year and Christmas seemed far away. There were only one or two elves about the place; and of course Paksu and Valkotukka (also fast asleep). The Penguins had all gone away in the spring. Luckily Goblins cannot help yelling and beating on drums when they mean to fight; so we all woke up in time, and got the gates and doors barred and the windows shuttered. P.B got on the roof and fired rockets into the Goblin hosts as they poured up the long reindeer-drive; but that did not stop them for long. We were soon surrounded. I have not time to tell you all the story. I had to blow three blasts on the great Horn (Windbeam). It hangs over the fire place in the hall, and if I have not told you about it before it is because I have not had to blow it for .... {There now! I was interrupted and it is now Christmas Eve, and I don't know when I shall get finished!}.

THERE WER AT LEST 1000000000 ON.

.... over a hundred years: its sound carries as far as the North Wind blows. All the same it was three whole days before help came: snowboys, polarbears, and hundreds and hundreds of elves. They came up behind the Goblins; and P.B (really awake this time) rushed out with a blazing branch off the fire in each paw. He must have killed dozens of Goblins (he says a million). But there was a big battle down in the plain near the N. Pole in November, in which the Goblins brought hundreds of new companies out of their tunnels. We were driven back to the Cliff, and it was not until P.B and a party of his younger relatives crept out by night, and blew up the entrance to the new tunnels with nearly 100 lbs of gunpowder that we got the better of them — for the present. But bang went all the stuff for making fireworks and crackers (the cracking-part) for some years. The N. Pole cracked and fell over (for the second time), and we have not yet had time to mend it. P.B is rather a hero (I hope he does not think so himself)

I DO!

N.B. → But of course he is a very MAGICAL animal really, and Goblins can't do much to him, when he is awake and angry. I have seen their arrows bouncing off him and breaking. Well, that will give you some idea of events, and you will understand why I have not had

derten. Wir hatten mehrere regelrechte Schlachten, und eine ganze Weile wurden wir belagert. Im November sah es schon fast so aus, als würde mein Haus mitsamt all meinem Hab und Gut vom Feind erobert werden und auf der ganzen Welt müssten die Weihnachtsstrümpfe leer bleiben.

Das wäre schlimm gewesen, nicht wahr? Aber es kam anders, was hauptsächlich dem Einsatz von Polarbär zu verdanken ist.

Hier bin ich!

Trotzdem war es mir erst Anfang dieses Monats möglich, überhaupt Boten auszuschicken! Die Kobolde haben vermutlich gedacht, dass sie jetzt, wo so viel Krieg in der Welt ist, eine prächtige Gelegenheit hätten, den Norden zurückzuerobern. Sie müssen sich schon über mehrere Jahre gerüstet und einen riesigen neuen Tunnel angelegt haben, der viele Meilen entfernt einen Ausgang hat.

Anfang Oktober kamen sie plötzlich zu Tausenden. Polarbär sagt zwar, es sei mindestens eine Million gewesen, aber er hat ja eine Vorliebe für große Zahlen.

Es waren mindestens huntert Millionen.

Jedenfalls lag er zu der Zeit noch in tiefem Schlaf, aber ganz hellwach war ich selber auch nicht. Für die Jahreszeit war es ziemlich warm, und Weihnachten schien noch in weiter Ferne. Es waren nur zwei oder drei Elbchen da, und natürlich Paksu und Valkotukka (die ebenfalls fest schliefen). Die Pinguine sind alle im Frühjahr nach Hause zurückgekehrt.

Zum Glück haben Kobolde es so an sich, dass sie unbedingt kreischen und trommeln müssen, wenn sie einen

Angriff im Sinn haben; dadurch wurden wir alle rechtzeitig wach und konnten schnell Türen und Gatter verriegeln und die Fensterläden zumachen. Polarbär ging dann aufs Dach und feuerte Raketen in den Koboldhaufen hinein, der auf der breiten Rentier-Auffahrt herangewuselt kam; aber das hielt den Feind nicht lange auf, und bald waren wir umzingelt.

Mir fehlt die Zeit, Dir alles im einzelnen zu berichten. Ich musste dreimal in das große Horn (das Windstoßhorn) blasen. Es hängt immer über dem Kamin in der Halle, und wenn ich Dir noch nie davon erzählt habe, so deshalb, weil ich es seit über vierhundert Jahren nicht mehr habe benutzen müssen. Sein Ton trägt so weit, wie der Nordwind weht. Trotzdem hat es drei ganze Tage gedauert, bis Hilfe kam: Schneebuben, Polarbären und viele hundert Elbchen.

Sie zogen im Rücken der Kobolde auf, und Polarbär (der jetzt richtig hellwach war) stürmte blitzschnell vor, in jeder Vorderpfote einen brennenden Ast aus unserem Feuer. Er muss Dutzende von Kobolden getötet haben (er sagt: eine Million).

Aber in der Ebene unterhalb des Nordpols kam es dann im November zu einer großen Schlacht, in der die Kobolde Hunderte von neuen Kompanien aus ihren Gängen und Höhlen zutage brachten. Wir wurden auf unseren Felsen zurückgedrängt, und erst als sich Polarbär mit einem Trupp seiner jüngeren Verwandten bei Nacht hinausschlich und mit annähernd einem Zentner Schießpulver die Eingänge der neuen Tunnels in die Luft sprengte, hatten wir es geschafft – vorläufig.

time to draw a picture this year — rather a pity, because there has been such exciting things to draw — and why I have not been able to collect the usual things for you, or even the very few that you asked for. I am told that nearly all the Alison Uttley books have been burnt, and I could not find one of 'Moldy Warp'. I must try and get one for next time. I am sending you a few other books, which I hope you will like. There is not a great deal else, but I send you very much love

I like to hear about your B. Bingo, but really I think he is too old and important to hang up stockings! But P.B. seems to feel that any kind of bear is a relation. And he said to me "Leave it to me, old man (that, I am afraid is what he often calls me): I will pack a perfectly beautiful selection for his Poliness (yes, Poliness!)." So I shall try and bring the beautiful selection along: what it is, I don't know!

VERY MUCH LOVE FROM
your old friends
FATHER
CHRISTMAS
&
P.B.

Miss P.M.R. Tolkien
OXFORD
England

Aber das ganze Material zum Zünden von Raketen und Knallbonbons (die Zünder nämlich) ist für mehrere Jahre hin. Die Nordpolspitze ist durchgebrochen und umgefallen (zum zweiten Mal), und wir hatten noch keine Zeit, sie zu reparieren. Polarbär ist eigentlich ein Held (ich hoffe nur, er hält sich nicht selbst für einen).

Und ob!

Aber er ist ja auch ein Wesen mit großer Zauberkraft,

Er meint mich!

und wenn er wach und in Wut ist, können ihm Kobolde nicht viel anhaben. Ich habe selber gesehen, wie ihre Pfeile von ihm abgeprallt und zerbrochen sind.

So, nun weisst Du ungefähr, was sich hier abgespielt hat, und Du wirst verstehen, dass ich diesmal keine Zeit hatte, Dir ein Bild zu malen – eigentlich schade, es wären doch so aufregende Dinge zu zeichnen gewesen –, und warum es mir nicht gelungen ist, die üblichen Sachen für Dich zu besorgen, ja nicht einmal die paar, die Du Dir gewünscht hast…

Mir wurde berichtet, dass sämtliche Alison Uttley-Bücher verbrannt sind, und von »Moldy Warp« konnte ich keines finden. Ich werde mich nächstes Jahr darum bemühen! Ich schicke Dir einige andere Bücher, die Dir hoffentlich gefallen. Darüber hinaus habe ich leider nicht viel, aber ich grüße Dich ganz herzlich.

Ich höre gerne Neuigkeiten über den Bären Bingo, aber ist er nicht eigentlich zu alt und zu wichtig, um Strümpfe aufzuhängen? Polarbär ist ja der Meinung, dass jeder Bär irgendwie mit ihm verwandt sei.

Und er hat zu mir gesagt: »Überlass das nur mir, mein Alter (ich fürchte, so nennt er mich recht oft). Ich werde für Seine Bärigkeit (jawohl, Bärigkeit!) eine wirklich wunderbare Auswahl zusammenstellen.« Also werde ich mich bemühen, die »wunderbare Auswahl« vorbeizubringen. Worum es sich dabei handelt? Keine Ahnung!

Alles alles Liebe von Deinem alten Freund –
dem Weihnachtsmann

und vom Polarbär

1942

Klippenhaus
Nordpol
Heiligabend 1942

Meine liebe Priscilla,

Polarbär hat mir gesagt, dass er Deinen Brief an mich in den Stapeln von diesem Jahr nicht finden kann. Hoffentlich hat er nichts verschlampt: er ist so unordentlich. Jedenfalls gehe ich davon aus, dass Du diesen Herbst auf Deiner neuen Schule viel zu tun hattest.

Ich musste raten, was Dir gefallen könnte. Ich glaube, ich weiß es ziemlich gut, und zum Glück sind wir noch einigermaßen mit Büchern und dergleichen ausgestattet. Wirklich, meine Vorräte waren noch nie so knapp, und in den Kellern waren noch nie so viele Regale leer (sagt Polarbär).

Ich hoffe, dass ich sie in nicht allzu langer Zeit wieder auffüllen kann; dabei wird überall so viel vergeudet und zerstört, dass ich ganz traurig werde und auch besorgt. Dieses Jahr ist es auch schwieriger als je zuvor, die Geschenke zuzustellen, bei all den beschädigten Häusern und den obdachlosen Menschen und den schrecklichen Ereignissen in Euren Ländern. In meinem Land ist es natürlich so friedlich und fröhlich wie eh und je.

Dieses Jahr ist der Schnee sehr früh gefallen, und die herrlich frostigen Nächte und die hellen sternenklaren Tage

Cliff House.
North Pole.

Christmas Eve
1942.

CHRISTMAS 1942.

My dear Priscilla,

P.B. tells me that he cannot find any letter from you among this year's piles. I hope he has not lost any: he is so untidy. Still I expect you have been very busy this autumn at your new school. I have had to guess what you would like. I think I know fairly well, and luckily we are still pretty well off for books and things of that sort. But really, you know, I have never seen my stocks so low or my cellars so full of empty places (as P.B. says, although he is not an Irish bear). I am hoping that I shall be able to replenish them before long; though there is so much waste and smashing going on that it makes me rather sad and anxious too. Deliveries too are more difficult than ever this year with damaged houses and houseless people and all the dreadful events going on in your countries. Of course it just as peaceful and merry in my land as ever it was* We had our snow early this year and then nice crisp frosty nights to keep it white and firm, and bright starry days (no sun just now of course). I am giving as big a party tomorrow night as ever I did, polar cubs (V & T. of course among them) and snowboys, and elves. We are having the Tree indoors this year — in the hall at the foot of the great staircase, and I hope P.B. does not fall down the stairs and crash into it after it is all decorated and lit up. I hope you will not mind my bringing this little letter along with your things tonight: I am short of messengers, as some have great trouble in finding people and have been away for days. Just now I caught P.B. in my pantry, and I am sure he had been to a cupboard. I do not know why. He has wrapped up a mysterious small parcel which he wants me to bring to you — well not exactly to you (he said): "She has got a bear too, as you ought to remember". Well my dear here is very much love from Father Christmas once more, and very good wishes for 1943

FC

* No battles at all this year. Quiet as quiet. I think the Goblins were really crushed this time. Windbeam is hanging over the mantlepiece and is quite dusty again, I am glad to say. But P.B. has spent lots of time this year making fresh gunpowder — just in case of trouble. He said "Wouldn't that Grubby

PTO

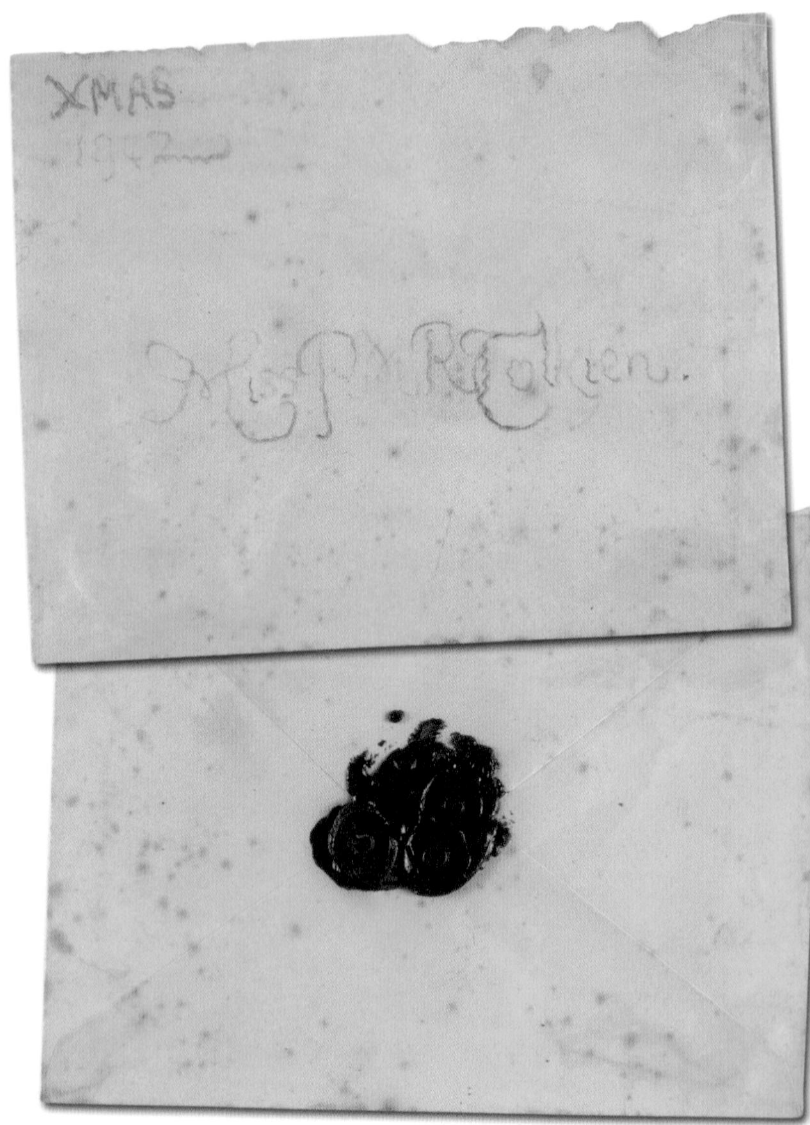
XMAS

seither (die Sonne scheint natürlich nicht) haben dafür gesorgt, dass er weiß und fest bleibt.

Morgen Abend gebe ich ein großes Fest, mit allem Drum und Dran wie immer. Die Polarbärchen kommen (natürlich auch Paksu und Valkotukka), die Schneebuben und die Elbchen. Der Baum steht dieses Jahr im Haus – in der Halle zu Füßen der großen Treppe. Hoffentlich fällt Polarbär nicht die Treppe hinunter und kracht in den Baum, wenn er geschmückt ist und die Kerzen brennen.

Ich hoffe, Du hast nichts dagegen, dass ich Dir diesen kleinen Brief heute Abend zusammen mit den Geschenken bringe: Ich habe nicht genug Boten, weil viele von ihnen tagelang unterwegs sind und nach den Leuten suchen. Gerade habe ich Polarbär in der Speisekammer erwischt, und ich bin mir sicher, dass er an einen Schrank wollte. Ich habe keine Ahnung, warum.

Er hat ein geheimnisvolles kleines Päckchen gepackt, das ich Dir bringen soll – nun, nicht eigentlich Dir (sagte er): »Sie hat auch einen Bären, wie Du wissen solltest.«

Nun, mein Liebes, einmal mehr ganz herzliche Grüße von Deinem Weihnachtsmann und die besten Wünsche für 1943.

* Dieses Jahr mussten wir keine Schlachten schlagen. Alles still hier. Ich glaube, dieses Mal haben wir die Kobolde wirklich verjagt. Das Windstoßhorn hängt über dem Kamin und ist – glücklicherweise – wieder ordentlich eingestaubt. Polarbär hat dieses Jahr trotzdem eine Menge Zeit damit zugebracht, neues Schießpulver zu machen – nur für alle Fälle. Er sagte: »Der schmuddelige kleine Billy wäre sicher

nur allzu gerne hier!« Ich habe keine Ahnung, wen er damit gemeint haben könnte, wenn nicht Deinen Bären: Isst er Schießpulver?

Alles Liebe von P. B. Du wirst schon herausfinden, was es mit der Speisekammer auf sich hatte. Ha! Ha! Ich weiß, was Du magst. Pass auf, dass B. B. nicht alles aufisst!

Botschaft an Billy Bär von Polarbär:
Tut mir leid, dass ich keine richtig tolle Bombe schicken konnte. Unser ganzes Pulver ist beim großen Knall hochgegangen. Das war vielleicht eine Riesenexploßion! Wärst Du nur dabeigewesen!

Little Billy like being here!" I don't know what he was talking about, unless it was about your bear: does he eat gunpowder?

LOVE FROM P.B. YOU'LL FIND OUT ABOUT THE PANTRY! HA! HA! I KNOW WOT YOU LIKE. DON'T LET THAT B.B. EAT IT ALL.

P.B.

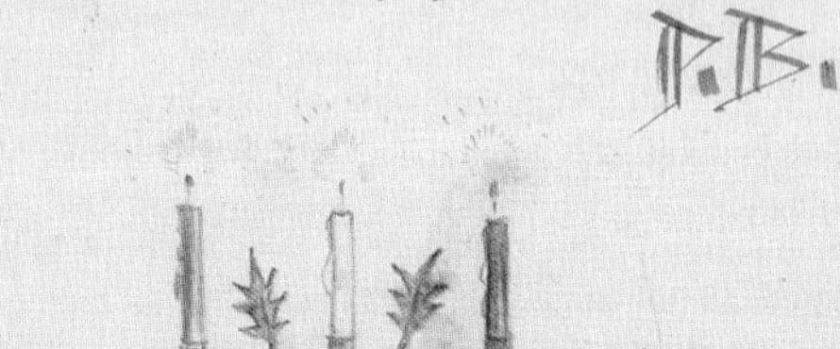

Cliff House
N. P.
Christmas 1943.

My dear Priscilla

A very happy Christmas! I suppose you will be hanging up your stocking just once more: I hope so, for I have still a few little things for you. After this I shall have to say "goodbye", more or less: I mean, I shall not forget you. We always keep the old numbers of our old friends, and their letters; and later on we hope to come back when they are grown up and have houses of their own and children.

My messengers tell me that people call it "grim" this year. I think they mean miserable: and so it is, I fear, in very many places where I was specially fond of going (like Germany); but I am very glad to hear that you are still not really miserable. Don't be! I am still very much alive, and shall come back again soon, as merry as ever. There has been no damage in my country; and though my stocks are running rather low I hope soon to put that right.

P.B. – too "tired" to write himself (so he says) – sends a special message to you: love and a hug! He says: do ask if she still has a bear called Billy Billy, or something like that; or is he worn out?

Give my love to the others: John & Michael & Christopher – and of course to all your "pets" that you used to tell me about.

P.T.O.

I AM REELY

1943

Klippenhaus
Nordpol
Weihnachten 1943

Meine liebe Priscilla,

ich wünsche Dir ein fröhliches Weihnachtsfest! Vermutlich wirst Du Deinen Strumpf nur noch dieses eine Mal aufhängen. Das hoffe ich doch, denn ich habe ein paar Kleinigkeiten für Dich. Danach muss ich »Lebwohl« sagen, gewissermaßen. Natürlich werde ich Dich nicht vergessen. Wir bewahren die Nummern unserer alten Freunde stets auf und auch ihre Briefe; und später können wir hoffentlich wieder kommen, wenn sie selbst Häuser und Kinder haben.

Von meinen Boten weiß ich, dass die Menschen dieses Jahr als »grimm« bezeichnen. Ich glaube, sie meinen elend, und das ist es auch, vielerorts, wo ich sonst sehr gerne hingegangen bin. Aber es freut mich sehr, dass Dich der Mut noch nicht verlassen hat. Kopf hoch! Ich bin noch immer quicklebendig, und ich komme bald wieder, so vergnügt wie eh und je. In meinem Reich ist nichts zerstört, und obwohl meine Vorräte knapp werden, hoffe ich doch, bald etwas dagegen tun zu können.

Polarbär – der angeblich zu müde ist, um selbst zu schreiben –

Das bin ich, ehrlich.

schickt Dir eine ganz besondere Botschaft: alles Liebe und sei fest umarmt! Ich soll fragen, ob Du immer noch einen Bären names Willybilly hast oder so ähnlich; oder ist der verschlissen?

Grüße die anderen ganz herzlich von mir: John und Michael und Christopher – und natürlich alle Deine Tiere, von denen Du mir immer erzählt hast. Polarbär und den Bärchen geht es gut. Dieses Jahr waren sie wirklich sehr brav, sie hatten fast keine Zeit, irgendwelchen Unfug anzustellen.

Ich hoffe, dass Du die meisten Sachen bekommst, die Du Dir gewünscht hast, und es tut mir sehr leid, dass ich keine »Katzenzungen« mehr hatte. Aber ich habe fast alle Bücher geschickt, die Du Dir gewünscht hast. Hoffentlich findest Du einen vollen Strumpf vor!

All seine Liebe schickt Dir Dein alter Freund,
der Weihnachtsmann.

As I have not got very many of the things you usually want, I am sending you some nice bright clean money – I have lots of that (more than you have, I expect; but it is not very much use to me, perhaps it will be to you). You might find it useful to buy a book with that you really want. Very much love from your old friend

Father Christmas

64 leaves

A Merry Christmas.